Rocío:

Amiga, con mucho cariño te regalo este libro. En cada página habrá un hermoso pensamiento para enriquecer al corazón.

No nos hemos tratado mucho, sin embargo quiero que sepas que aquí en México existe un nuevo amigo para ti en quien puedes confiar. He visto con alegría que aquí eres muy querida por toda tu familia. Muchas felicidades!

Te deseo un muy buen viaje, que tengas mucho éxito en todo y ojalá...
Regreses Pronto.

FRIENDLY.

UN REGALO EXCEPCIONAL

Este nuevo volumen del *Un Regalo Excepcional* está formado con algunas de las más bellas joyas de la sabiduría producidas por el hombre a través de los siglos.

Quienes lo posean son dueños del más grande tesoro que cualquier hombre pueda tener. Consérvalo, cuídalo, léelo y reléelo cuantas veces quieras, pero sobre todo, cuando sientas que te invade el desánimo o la tristeza, cuando supongas que ante ti se cierran todas las puertas, cuando experimentes el miedo de vivir.

Entonces comprenderás el significado de su título: *Un Regalo Excepcional.*

LOS *LIBROS* HACEN | *LIBRES* A LOS HOMBRES

HERIBERTO FRÍAS 1104   EDAMEX   MÉXICO, D.F. 03100

Un Regalo Excepcional

PENSAMIENTOS
Una Filosofía para Vivir

Edición Corregida y Actualizada

Compilador

Roger Patrón Luján

Título de la obra: UN REGALO EXCEPCIONAL.

ISBN - 968 - 409 - 618 - 6

Décima octava edición: octubre de 1996.

Ficha bibliográfica:
    28. Superación personal.

EDAMEX, Heriberto Frías 1104, Col. del Valle. México 03100. Tel. 559-8588; Fax: 575-0555 y 575-7035. Si llama de Estados Unidos, marque 91-525 antes del número.

Diseño portada: Luce Hernández
Foto portada: Jorge Betancourt
Ilustraciones: Ana Zoebisch

Impreso y hecho en México.
Printed and made in México.

ÍNDICE

Alejandro, Ana, Aurora, Enrique, Fernando, Gaby, Germán, Guadalupe, Irene, Jacobo, Joaquín, Leticia, Luce, Luchi, Lydia, Manuel, María, Marta, Mercedes, Miguel, Octavio, Pablo, Pedro, Raúl, Silvia, Tere, Víctor, Xavier.

¡Gracias!

Prefacio a la duodécima edición

Durante los últimos veinte años he recolectado pensamientos de grandes hombres de todas las épocas, países, ideologías y religiones que poco a poco he publicado, primero en tarjetas, después en libros caseros y posteriormente en libros formales.

Con el tiempo, gracias a las correcciones que varias personas me han enviado y a la labor de investigación realizada, hemos hecho una revisión exhaustiva que ahora presentamos en esta edición.

Puedo comentar que el recibir y hallar las verdaderas fuentes ha sido una actividad llena de anécdotas y de gozo. Por ejemplo, el poema VIAJAR no es de Gabriel García Márquez, el escritor colombiano, sino de un homónimo mexicano que ahora firma como Gabriel Gamar.

Por otro lado, hemos encontrado varias versiones de SÓLO POR HOY. La que aquí presentamos, por ser la más completa, es la de Kenneth L. Holmes.

También encontramos que el pensamiento que inicia con SI LLORAS POR HABER PERDIDO EL SOL... no es anónimo sino de Rabindranath Tagore.

Asimismo, hemos recibido toda clase de versiones de la autoría de DESIDERATA, hasta que detectamos que el escritor original es Max Ehrmann.

LA AMISTAD es del poeta y escritor argentino Horacio E. Ratti.

Por lo que se refiere a EL ARTE DEL MATRIMONIO, es de Wilferd A. Peterson.

Y, hablando de Rudyard Kipling, nos percatamos de que se le han atribuido más poemas de los que él escribió, tales como, A MI HIJO y NO DESISTAS. En realidad de los que presentamos aquí, SI, es el único que proviene de su inspiración.

Otro verso que lo teníamos como anónimo es el de DA; ahora sabemos que lo escribió John Wesley.

Y aunque, ¿QUÉ ES UN NIÑO? y ¿QUÉ ES UNA NIÑA? los teníamos con dos autores diferentes, la investigación nos llevó a su verdadero autor, Alan Beck.

EL VERDADERO DISFRUTE DE LA VIDA de George Bernard Shaw, se trata de una unión de párrafos tomados de HOMBRE Y SUPERHOMBRE y de otras de sus obras.

Además, también detectamos que EL ÉXITO COMIENZA CON LA VOLUNTAD es de Napoleón Hill.

El pensamiento HAY PERSONAS EN EL MUNDO... es de Érica Jong.

Otro hallazgo fue el de COSECHAR, que pertenece a Kuang Chung.

Un pensamiento que circula en varios países como HUBO UNA VEZ UN HOMBRE, es de James A. Francis y se titula UNA VIDA SOLITARIA.

CONCÉDEME SEÑOR se le atribuye tanto a Reinhold Niebuhr como a Sor Juana Inés de la Cruz. Comprobamos que pertenece al primero.

Aunque LA JUVENTUD se le reconoce generalmente a Douglas MacArthur, todavía no hemos encontrado la fuente para poder verificarlo.

Una agradable sorpresa fue la de encontrar a la autora del pensamiento PISADAS que se conoce en todo el mundo como anónimo y que es de Margaret Fishback.

Finalmente, INSTANTES no es de Jorge Luis Borges sino de Nadine Stair y su verdadero título es IF I HAD MY LIFE TO LIVE OVER AGAIN. Esto nos lo aclaró la Fundación Jorge Luis Borges.

EN RECUERDO MÍO es de Robert N. Test, escritor Norteamericano.

El investigar y descubrir sobre los textos y su autoría, se ha convertido en una agradable tarea; por ello, cuando tengamos nuevos hallazgos con gusto los publicaremos.

Roger Patrón Luján

PRÓLOGO

Conocí hace muchos años a Roger Patrón, cuando no éramos mas que unos niños con ideales puestos en los deportes y en los toros. Hijo de padres con valores de excelencia, con la sensible espiritualidad de la gente de Yucatán.

En esa edad uno está en el camino de descubrir ideas que se puedan adoptar y que sirvan de inspiración para la vida diaria, aunque muchas veces cueste trabajo la práctica de las mismas.

La vida nos hizo hermanos, por eso escribir con cariño no cuesta nada... Pero hay que recordar lo que creo es el origen de este esfuerzo.

Cuando fuimos jóvenes, con más capacidad para captar la importancia del factor humano, encontramos, en algunos cursos que impartía el querido maestro Herman Hitz, fórmulas que nos ayudaron a plantear nuestras vidas con más lógica. Muy en especial nuestro amigo Pedro Maus, que gustaba conservar los pensamientos importantes en tarjetas, a veces enmarcadas, para tenerlas en su despacho y en su casa, y poderlas leer a menudo.

La inquietud de Roger lo ha hecho trabajar varias veces en la creación de una compilación como la que ahora nos ocupa, pero considero que ésta es la culminación de su esfuerzo, ya que tiene como objeto transmitir a los demás ideas y pensamientos de grandes hombres y mujeres.

El diseño de *Un Regalo Excepcional* parece sacado del transcurso de la vida; pues sus capítulos sobre *La Libertad, El Amor, Padres e Hijos, Educación y Vida, El Trabajo, La Riqueza, Los Mexicanos, La Comunicación con Dios y La Juventud y la Vejez,* parecen ser las metas que están a la orilla y al final del camino.

Estoy seguro que los lectores recibirán esta edición, como las anteriores, con gran beneplácito, ya que cada vez es más necesario tener la facilidad de poder recurrir a ideas que diariamente nos ayuden a la difícil encomienda de vivir con razón. La selección se realizó por alguien que pensó por nosotros con anticipación.

El balance adecuado de trabajo, familia, diversión y creencias se alcanza cuando busca uno en estas líneas algo que ilumine nuestra actuación.

Este libro no tiene una razón de lucro, sino una razón de servir. Es lo que más admiro en el compilador. Con esto, indudablemente, completa una ilusión mantenida hace tiempo y que ahora puede ofrecer cuando ha alcanzado la madurez.

Alejandro Sada Olivares

UN PENSAMIENTO

Cada belleza y cada grandeza de este mundo es creada por una sola emoción, o por un solo pensamiento en el interior del hombre.

Cada cosa que vemos hoy, realizada por pasadas generaciones, fue, antes de adquirir su apariencia, antes de aparecer, un solo pensamiento en la mente de un hombre, o un solo impulso en el corazón de una mujer.

Las revoluciones, que han derramado tanta sangre, y que han transformado las mentes humanas para orientarlas hacia la libertad, fueron la idea de un hombre, que vivió entre miles de hombres.

Las devastadoras guerras que han destruido imperios fueron un pensamiento que existió en la mente de un individuo.

Las supremas enseñanzas que han cambiado el destino de la humanidad fueron inicialmente la idea de un hombre cuyo genio lo distinguió de su medio.

Un solo pensamiento hizo que se construyeran Pirámides, un solo pensamiento fundó la gloria del Islam, y un solo pensamiento causó el incendio de la Biblioteca de Alejandría.

Un solo pensamiento acudirá en la noche a la mente del hombre, y ese pensamiento puede elevarlo hasta la gloria o llevarlo a la locura. Una sola mirada de mujer puede hacer del hombre el más feliz del mundo. Una sola palabra de un hombre puede hacernos ricos o pobres.

Una sola palabra pronunciada por Selma en aquella noche serena, me suspendió entre mi pasado y mi futuro, como un barco anclado en medio del océano. Aquella palabra significativa me despertó del sueño de la juventud, del sueño de la soledad, y condujo mis días por un nuevo sendero hacia el mundo del amor, donde se reúnen la vida y la muerte.

Gibrán Jalil Gibrán

La libertad aunada al amor nos hace ser Hombres.

Roger Patrón Luján

La libertad

La libertad, Sancho, es uno de los más preciosos dones que a los hombres dieron los cielos. Con ella no pueden igualarse los tesoros que encierra la tierra ni el mar encubre; por la libertad, así como por la honra, se puede y debe aventurar la vida.

Y por el contrario, el cautiverio es el mayor mal que puede venir a los hombres.

Miguel de Cervantes Saavedra

Libertad

La riqueza es abundancia, fuerza, ufanía;
pero no es libertad.

El amor es delicia, tormento, delicia tormentosa,
tormento delicioso, imán de imanes;
pero no es libertad.

La juventud es deslumbramiento, frondosidad de ensueños,
embriaguez de embriagueces;
pero no es libertad.

La gloria es transfiguración, divinización,
orgullo exaltado y beatífico;
pero no es libertad.

El poder es sirena de viejos y jóvenes, prodigalidad de honores,
vanidad de culminación,
sentimiento interior de eficacia y de fuerza;
pero no es libertad.

El despego de las cosas ilusorias, el convencimiento del nulo valer,
la facultad de suplirlas en el alma como un ideal inaccesible,
pero más real que ellas mismas;
la certidumbre de que nada, si no lo queremos, puede esclavizarnos,
es ya el comienzo de la libertad.

La muerte es la libertad absoluta.

Amado Nervo

La libertad natural y total del hombre, sólo existe en su equilibrio.

Alberto Cortez

Viajar

Viajar es marcharse de casa
es dejar los amigos
es intentar volar.
Volar conociendo otras ramas
recorriendo caminos
es intentar cambiar.

Viajar es vestirse de loco
es decir "no me importa"
es querer regresar.
Regresar valorando lo poco
saboreando una copa
es desear empezar.

Viajar es sentirse poeta
escribir una carta
es querer abrazar.
Abrazar al llegar a una puerta
añorando la calma
es dejarse besar.

Viajar es volverse mundano
es conocer otra gente
es volver a empezar.
Empezar extendiendo la mano
aprendiendo del fuerte
es sentir soledad.

Viajar es marcharse de casa
es vestirse de loco .
diciendo todo y nada con una postal.
Es dormir en otra cama
sentir que el tiempo es corto
viajar es regresar.

Gabriel Gamar

Aprende

Estaba el filósofo Diógenes cenando lentejas cuando le vio el filósofo Aristipo, quien vivía confortablemente a base de adular al Rey.

Y Aristipo le dijo:

- Si aprendieras a ser sumiso al Rey, no tendrías que comer esa basura de lentejas.

A lo que Diógenes replicó:

- Si tú hubieras aprendido a comer lentejas, no tendrías que adular al Rey.

Anthony de Mello

Todo hombre tiene libertad para hacer lo que quiera, siempre y cuando no infrinja la libertad de otro hombre.

Herbert Spencer

El amor a la libertad se nos ha dado junto con la vida, y de ambos dones del cielo, el inferior es la vida.

John Dryden

Es verdad que el cambio conlleva el riesgo del fracaso, esa es la principal razón del temor a la libertad.

Pero también es verdad que en la vida no hay errores, sólo lecciones que aprender.

Anónimo

Un hombre libre no quiere dominar a otro.

La libertad está en idéntica antítesis con la esclavitud y con el afán de mando.

Así, este último no es más que una forma del espíritu de sujeción, porque el dominador es aquel que no sabe sentirse individuo, sino en función del otro, el dominado.

Máximo Bontempelli

No estoy de acuerdo con lo que dices, pero hasta con mi vida defenderé el derecho que tienes de decir lo que piensas.

Voltaire

No hay en la tierra, conforme a mi parecer, contento que iguale a alcanzar la libertad perdida.

Miguel de Cervantes Saavedra

La libertad de ser yo mismo

Creo saber lo que quiero. He aquí las cosas que me harían feliz. No desearé otras.

Quiero una habitación propia, donde pueda trabajar. Un cuarto que no sea particularmente limpio ni ordenado.

Quiero una habitación cómoda, íntima y familiar. Una atmósfera llena de olor a libros y de aromas inexplicables; una gran variedad de libros, pero no demasiados... sólo aquellos que pueda leer o que vaya a leer de nuevo, contra la opinión de todos los críticos literarios del mundo. Ninguno que requiera mucho tiempo para leerse, ninguno que tenga un argumento constante, ni que ostente demasiado el esplendor frío de la lógica.

Deseo tener la ropa de caballero que he usado algún tiempo y un par de zapatos viejos. Quiero la libertad de usar tan poca ropa como me venga en gana.

Quiero tener un hogar donde pueda ser yo mismo. Quiero escuchar la voz de mi esposa y la risa de mis hijos en la planta alta, mientras yo trabajo en el piso inferior, y quiero oírlos en el piso de abajo cuando yo esté trabajando arriba.

Quiero niños que sean niños, que salgan conmigo a jugar en la lluvia y que disfruten del baño de regadera tanto como yo. Quiero un pedazo de tierra en el que mis hijos puedan construir casas de ladrillo, alimentar a sus pollos y regar las flores. Quiero oír el canto del gallo por las mañanas. Quiero que en el vecindario haya árboles viejos y frondosos.

Quiero algunos buenos amigos que me sean tan familiares como la vida misma, amigos con los que no necesite ser cortés y que me cuenten sus problemas; que sean capaces de citar a Aristóteles y contar algunos chistes subidos de color; amigos que sean espiritualmente ricos y que puedan hablar de filosofía y usar palabras gruesas con la misma sinceridad; amigos que tengan aficiones claras y una opinión definida sobre la gente y las cosas; que tengan sus creencias particulares y respeten las mías.

Quiero tener una buena cocinera que sepa guisar verduras y hacer sopas deliciosas. Quiero un sirviente viejo, viejísimo que piense que soy un gran hombre aunque no sepa en qué reside mi grandeza.

Quiero una buena biblioteca, unos buenos puros y una mujer que me comprenda y me deje en libertad para trabajar.

En fin, quiero tener la libertad de ser yo mismo.

Lin Yutang

¿Has intentado alguna vez organizar algo, como, por ejemplo, la paz?

En el momento que lo hagas, verás los conflictos del poder, y las luchas internas dentro de las organizaciones.

La única manera de tener paz, es dejarla crecer libremente.

Anónimo

El amor a la libertad se halla arraigado, por naturaleza, en el pecho de todos los hombres.

Dionisio de Halicarnaso

¡Sí! A esta creencia me atengo por completo;
    ésta es la última conclusión de la sabiduría:
sólo merece su libertad como su vida,
    quien diariamente las conquista.

Johann Wolfgang Goethe

No hay nada más maravilloso que el amor.

Roger Patrón Luján

Llénalo de amor

Siempre que haya un hueco en tu vida,
llénalo de amor.

Adolescente, joven, viejo:

siempre que haya un hueco en tu vida,
llénalo de amor.

En cuanto sepas que tienes delante de ti un tiempo baldío,
ve a buscar amor.

> No pienses: "Sufriré".
> No pienses: "Me engañarán".
> No pienses: "Dudaré".

Ve, simplemente, diáfanamente, regocijadamente,
en busca del amor.

¿Qué índole de amor?

No importa.

Todo amor está lleno de excelencia y de nobleza.

Ama como puedas, ama a quien puedas, ama todo lo que puedas...

Pero ama siempre.

No te preocupes de la finalidad del amor.
Él lleva en sí mismo su finalidad.

No te juzgues incompleto porque no responden a tus ternuras;
el amor lleva en sí su propia plenitud.

¡Siempre que haya un hueco en tu vida,
llénalo de amor!

Amado Nervo

Ámense

Ustedes nacieron el uno para el otro y lo estarán para siempre.
Estarán juntos cuando las alas de la muerte esparzan sus días.
Sí, estarán juntos aun en la memoria silenciosa de Dios.

Pero dejen que haya espacios en su cercanía,
y dejen que las brisas de los cielos bailen entre ustedes.

Ámense el uno al otro, mas no hagan del amor una atadura:
dejen que haya un mar en movimiento entre las playas de sus almas.

Llénense mutuamente las copas pero no beban de una sola copa.
Compartan su pan, pero no coman del mismo trozo.

Canten, bailen y alégrense, pero que cada uno sea independiente,
aun las cuerdas del laúd están solas aunque vibren con la misma música.

Den su corazón, pero no en prenda,
pues sólo la mano de la Vida puede contener los corazones.

Y permanezcan juntos, pero no demasiado;
porque los pilares del templo están aparte,
y ni el roble crece bajo la sombra del ciprés, ni el ciprés bajo la del roble.

Gibrán Jalil Gibrán

Si la vida fuese como un árbol, extendiendo ampliamente sus ramas, de modo que todos y cada uno pudiesen guarecerse bajo su sombra, entonces podríamos comprender lo que es el amor.

Rajneefh Bhagwan Fhree

Amada compañera

Canto a las mujeres que en una eres; a los valles de tus mundos donde camino; a tus ríos en donde sacio mi sed; a la ribera de tu alma donde obtengo la flor de tu ternura.

Le canto a tu luz que cada día me hace amarte más; a tus rincones donde soy dichoso amante; a tu mirada infinita de amor; a tu sonrisa que me da vida al recordarte.

Canto a las esferas que nacen de tu vientre; a tu corazón guardián de mil tesoros; a tu palpitar que llena mis latidos de paz y de alegría; a tu palabra de auroras donde nacen armonías; al universo construido por la unión de nuestras almas.

Canto a tu cuerpo que es mi sangre; a tus labios donde bebo sueños; a la inmortalidad del instante continuo que forjamos; a los trigales que haces crecer incólumes, y que son pan alimentándonos a este saber de la libertad donde camino, al estar en el reino de tu anhelo.

Canto a las lágrimas de amor y de tristeza por esta humanidad, amado ser cuyas alas a veces temen los vientos.

Canto a tu canto que deshace los silencios; a tu habla de soles que iluminan mis sentidos; a tu majestad sin par, a quien doy mis sueños e ilusiones y este canto de amor.

Porque tú, amada compañera, haces el prodigio de que el amor germine y florezca, y por ende, yo viva y sea.

Emilio Rojas

El amor inmaduro dice: "Te amo porque te necesito".
El amor maduro dice: "Te necesito porque te amo".

Erich Fromm

Mis relaciones con los demás

Tú y yo vivimos en una relación que valoro y quiero conservar. Sin embargo, cada uno de nosotros es una persona diferente, con sus propias necesidades y el derecho de satisfacerlas.

Cuando tú tengas dificultades para resolver tus problemas, trataré de escucharte cordialmente y ayudarte, con el objeto de que encuentres tus propias soluciones, en lugar de depender de las mías.

De la misma manera, trataré de respetar tu derecho a escoger tus propias ideas y a desarrollar tus propios valores, aunque sean diferentes a los míos.

Cuando tu actividad interfiera con lo que debo hacer para la satisfacción de mis necesidades, te comunicaré abierta y honestamente cómo me afecta tu conducta, confiando en que tú me comprenderás y ayudarás en lo que puedas.

De la misma manera, cuando alguno de mis actos te sea inaceptable, espero que me comuniques con sinceridad tus sentimientos. Te escucharé y trataré de cambiar.

En las ocasiones en que descubramos que ninguno de los dos puede cambiar su conducta para satisfacer las necesidades del otro, reconozcamos que tenemos un conflicto que requiere solución. Comprometámonos, entonces, a resolver cada uno de estos conflictos, sin recurrir al uso del poder o de la autoridad, para tratar de vencer a expensas de la derrota del otro.

Respeto tus necesidades, pero también quiero que respetes las mías.

Esforcémonos siempre para encontrar una solución que sea aceptable para ambos. Tus necesidades serán satisfechas y también las mías. Ambos venceremos y ninguno será derrotado.

De esta forma, tú podrás continuar tu desarrollo como persona mediante la satisfacción de tus necesidades y yo también podré hacerlo; nuestra relación podrá ser lo suficientemente positiva para que, en ella, cada uno de nosotros pueda esforzarse para llegar a ser lo que es capaz de ser.

Así podremos continuar relacionándonos el uno y el otro con respeto, amor y paz mutuos.

Thomas Gordon

Ama

Serás dichoso, porque para serlo es necesario solamente, en medio de las más recias tormentas de la fortuna, sentirse amado, entusiasmado, acompañado, bien cuidado por alguien.

Pero esto no se tiene, si no se ofrece un bien semejante.

Nadie se dará jamás sino a quién se dé a él; e irresistiblemente, cuando una criatura se siente con la dulce dueñez de otra, se vuelve a ella, como un cordero a su madre cuando llueve o nieva y se refugia en ella.

José Martí

El fruto del Silencio es la Fe.
El fruto de la Fe es la Oración.
El fruto de la Oración es el Amor.
El fruto del Amor es el Servicio.
El fruto del Servicio es la Paz.

Madre Teresa de Calcuta

Un soldado

Un soldado que se encontraba en el frente de batalla, fue rápidamente enviado a su casa, porque su padre se estaba muriendo.

Hicieron con él una excepción, porque era el único familiar que tenía su padre.

Cuando entró en la unidad de terapia intensiva, se sorprendió al comprobar que ese anciano, semi-consciente y lleno de tubos, no era su padre.

Alguien había cometido un tremendo error al enviarlo equivocadamente.

- ¿Cuánto tiempo le queda de vida? -, le preguntó al médico.

- Unas cuantas horas, a lo sumo. Ha llegado usted justo a tiempo.

El soldado pensó en el hijo de aquel viejo, que estaría luchando sabe Dios a cuántos kilómetros de allí.

Luego pensó que aquél anciano estaría aferrándose a la vida con la única esperanza de ver a su hijo una última vez antes de morir.

Entonces se decidió e inclinándose hacia el moribundo, tomó una de sus manos y le dijo dulcemente:

- Papá, estoy aquí, he vuelto.

El anciano asiendo con fuerza aquella mano, abrió sus ojos sin vida para echar un último vistazo a su entorno; una sonrisa de satisfacción iluminó su rostro y así permaneció hasta que, al cabo de casi una hora, falleció pacíficamente.

Anónimo

Amar a alguien para hacerlo distinto, significa asesinarle.

Igor Caruso

La causa de amar, es amar;
el fruto de amar, es amar;
el fin del amor, es amar;
amo porque amo,
amo para amar.

San Bernardo

La ausencia aviva el amor, la presencia lo fortalece.

Thomas Fuller

Si no es puro, no puede ser profundo el amor.

Auguste Comte

El amor es en la vida del hombre una cosa aparte, pero en la mujer, forma parte de su
existencia.

Lord Byron

Ama y haz lo que quieras;
si callas, callarás con amor;
si gritas, gritarás con amor;
si corriges, corregirás con amor;
si perdonas, perdonarás con amor.
Si está dentro de ti la raíz del amor,
ninguna otra cosa sino el bien podrá salir de tal raíz.

San Agustín

Preeminencia del amor

Si yo hablase lenguas humanas y angélicas,
y no tengo amor,
vengo a ser como el metal que resuena
o el címbalo que tañe.

Y si tuviese el don de la profecía,
y entendiese todos los misterios y toda la ciencia,
y si tuviese toda la fe
de tal manera que trasladase montañas,
y no tengo amor,
nada soy.

Y si repartiese todos mis bienes para dar de comer a los pobres,
y si entregase mi cuerpo para ser quemado,
y no tengo amor,
de nada me sirve.

El amor es sufrido, es benigno,
el amor no tiene envidia,
el amor no es jactancioso, no se envanece,
no hace nada indebido, no es egoísta,
no se irrita, no guarda rencor,
no disfruta de la injusticia,
más se goza en la verdad.

El amor, todo lo sufre,
todo lo cree,
todo lo espera,
todo lo soporta.

San Pablo

La herida de amor la sana el mismo que la hizo.

Publio Siro

Amar

Porque amar es dar
y sólo con dolor consigue dar,
esperanzado a recibir.

Amar es servir,
y de lo que el hombre gusta,
es de ser servido.

Amar es renunciar,
y el hombre siempre aspira,
de inmediato a cosechar.

¿Cómo, entonces,
no va a resultar costoso amar?

Alfonso Rey

Mientras tememos conscientemente no ser amados, el temor real, aunque habitualmente inconsciente, es el de amar.

Amar significa comprometerse sin garantías, entregarse totalmente con la esperanza de producir amor en la persona amada.

El amor es un acto de fe y quien tenga poca fe, también tendrá poco amor.

Erich Fromm

Dedicamos casi toda nuestra energía a descubrir la forma de alcanzar éxito, prestigio, dinero, poder y muy poca a aprender el arte del amor.

Anónimo

Para llegar a ti,
debo sentirte primero en mí.

Vivir... es llegar
a donde todo empieza;
amar... es ir
a donde nada termina.

Vive...
como si fuera temprano;
reflexiona...
como si fuera tarde;
y ama...
como nunca jamás.

Siente lo que dices...
con cariño;
di lo que piensas...
con esperanza;
piensa lo que haces...
con fe;
haz lo que debes...
con amor.

La vida
nos revela la verdad;
la verdad
nos ilumina el camino;
el camino
nos conduce a amar;
el amor
nos hace vivir.

La razón de amar...
la encontramos viviendo;
el sentido de vivir...
lo encontramos amando.

Stefano Tanasescu Morelli

El marido: "Sabes querida, voy a trabajar duro y algún día seremos ricos".

La mujer: "Ya somos ricos, querido. Nos tenemos el uno al otro. Tal vez algún día también tengamos dinero".

Anthony de Mello

El amor vence a la muerte, pero a veces, una mala costumbre sin importancia, vence al amor.

Marie Ebner-Eschenbach

La vida es una flor cuya miel es el amor.

Víctor Hugo

*Lo más terrible
es la muerte en vida...
Ama... Camina...*

Fernando Martínez Cortés

Si dejas de dar, renuncias a vivir.

Roger Patrón Luján

Alégrate

Si eres pequeño, alégrate, porque tu pequeñez sirve de contraste a otros en el Universo; porque esa pequeñez constituye la razón esencial de su grandeza; porque para ser grandes, han necesitado que tú seas pequeño, como la montaña para culminar necesita alzarse entre las colinas, lomas y cerros.

Si eres grande, alégrate, porque Lo Invisible se manifestó en ti de manera más excelente; porque eres un éxito del Artista Eterno.

Si eres sano, alégrate, porque en ti las fuerzas de la naturaleza han llegado a la ponderación y a la armonía.

Si eres enfermo, alégrate porque luchan en tu organismo fuerzas contrarias que acaso buscan una resultante de belleza; porque en ti se ensaya ese divino alquimista que se llama el Dolor.

Si eres rico, alégrate, por toda la fuerza que el Destino ha puesto en tus manos, para que la derrames...

Si eres pobre, alégrate, porque tus alas serán más ligeras; porque la vida te sujetará menos; porque el Padre realizará en ti más directamente que en el rico, el amable prodigio del pan cotidiano...

Alégrate si amas, porque eres más semejante a Dios que los otros.
Alégrate si eres amado, porque hay en esto una predestinación maravillosa.
Alégrate si eres pequeño;
Alégrate si eres grande;
Alégrate si tienes salud;
Alégrate si la has perdido;
Alégrate si eres rico;
Si eres pobre, alégrate;
Alégrate si te aman;
Si amas, alégrate;
Alégrate siempre, siempre, siempre.

Amado Nervo

¡*Carpe Diem*!
Goza mientras vivas; disfruta tu día; vive la vida al máximo; sácale el mejor provecho a lo que posees. ¡Es más tarde de lo que crees!

Horacio

El arte de la felicidad

La felicidad no depende de lo que pasa a nuestro alrededor; sino de lo que pasa dentro de nosotros; la felicidad se mide por el espíritu con el cual nos enfrentamos a los problemas de la vida.

La felicidad, es un asunto de valentía; es tan fácil sentirse deprimido y desesperado.

La felicidad, es un estado de ánimo; no somos felices en tanto no decidamos serlo.

La felicidad, no consiste en hacer siempre lo que queramos; pero sí en querer todo lo que hagamos.

La felicidad, nace de poner nuestros corazones en nuestro trabajo, y de hacerlo con alegría y entusiasmo.

La felicidad, no tiene recetas; cada quien la cocina con el sazón de su propia meditación.

La felicidad, no es una posada en el camino, sino una forma de caminar por la vida.

Anónimo

Los sufrimientos...
nos pulen el alma;

mientras que, las alegrías...
le dan brillo.

Stefano Tanasescu Morelli

Lo que pasa es siempre lo mejor.

Rodolfo Patrón Tenorio

Las vacaciones se parecen al amor: las esperamos con anhelo, las vivimos con contrariedades y las recordamos con nostalgia.

Anónimo

Sólo por hoy

Sólo por hoy, trataré de vivir únicamente este día, sin abordar a la vez todo el problema de la vida. Puedo hacer en doce horas cosas que me espantarían si tuviese que mantenerlas durante una vida entera.

Sólo por hoy, seré feliz. Esto supone que es verdad lo que dijo Abraham Lincon, que "la mayoría de las personas son tan felices como deciden serlo". La felicidad es algo interior; no es asunto de fuera.

Sólo por hoy, trataré de vigorizar mi espíritu. Aprenderé algo útil. No seré un haragán mental. Leeré algo que requiera esfuerzo, meditación y concentración.

Sólo por hoy, trataré de ajustarme a lo que es y no trataré de ajustar todas las cosas a mis propios deseos. Aceptaré mi familia, mis negocios y mi suerte tal como son y procuraré adaptarme a todo ello.

Sólo por hoy, ejercitaré mi alma en tres modos. Haré a alguien algún bien sin que él lo descubra. Y haré dos cosas que no me agrade hacer, solamente, como dice William James, para ejercitarme.

Sólo por hoy, seré agradable. Tendré el mejor aspecto que pueda, me vestiré con la mayor corrección, hablaré en voz baja, me mostraré cortés, seré generoso en la alabanza, no criticaré a nadie, no encontraré defectos en nada y no intentaré mejorar o regular a nadie que no sea a mí mismo.

Sólo por hoy, tendré un programa. Consignaré por escrito lo que espero hacer cada hora. Cabe que no siga exactamente el programa, pero lo tendré. Eliminaré dos plagas: la prisa y la indecisión.

Sólo por hoy, tendré media hora tranquila de soledad y descanso. En esta media hora pensaré, a fin de conseguir una mayor perspectiva de mi vida.

Sólo por hoy, no tendré temor y especialmente no tendré temor de ser feliz, de disfrutar lo bello, de amar y de creer que los que amo, me aman.

Kenneth L. Holmes

Los sueños son la esperanza perenne de nuestra vida y la energía que nos hace vivir: ¡Aférrate a ellos!

Irene Fohri

Cómo ser feliz

Al abrir los ojos por la mañana, dite a ti mismo:

¡QUÉ MARAVILLOSO ES ESTAR CON VIDA! Este día me debe de ir mucho mejor que ayer.

Nunca te olvides de que tú controlas tu propia vida. Convéncete: "Yo estoy a cargo de lo que me pase, yo soy el único responsable".

Alégrate cuando te dirijas a tu trabajo. Siéntete feliz de contar con un empleo en estos tiempos de crisis económica.

Aprovecha al máximo tus ratos de ocio. No te sientes, ni empieces a flojear cuando puedes estar divirtiéndote o disfrutando de algún pasatiempo.

No te dejes agobiar por tus problemas económicos. Para los más de nosotros, que no podemos darnos el lujo de ser extravagantes, sencillamente ahorrar dinero para adquirir un artículo caro, puede darnos un sentimiento de gran satisfacción.

No te compares con los demás, la gente que lo hace tiende a la melancolía.

Sé menos crítico. Acepta tus limitaciones y las de tus amigos. Concéntrate en tus habilidades y en las de ellos.

Mejora tu sentido del humor. No te tomes demasiado en serio, trata de encontrarle el lado humorístico a los momentos de adversidad.

Toma tu tiempo. No trates de hacer todo a la vez. Sonríe más, más a menudo, a más gente.

¡Felicidades!

El tiempo te obsequia un libro en blanco. Lo que en él escribas será de tu propia inspiración. De ti depende elegir la tinta arco iris de la dicha o la gris y opaca del desaliento y la amargura, las palabras dulces y hermosas del lenguaje del amor o el relato tenebroso y destructor del odio.

¿Qué escribirás amigo, en cada día que falta por llenar?

Anónimo

Si lloras por haber perdido el sol, las lágrimas te impedirán ver la estrellas.

Rabindranaz Tagore

Si yo cambiara

Si yo cambiara mi manera de pensar hacia otros,
me sentiría sereno.

Si yo cambiara mi manera de actuar ante los demás,
los haría felices.

Si yo aceptara a todos como son,
sufriría menos.

Si yo me aceptara tal cual soy, quitándome mis defectos,
cuanto mejoraría mi hogar, mi ambiente.

Si yo comprendiera plenamente mis errores,
sería humilde.

Si yo deseara siempre el bien de los demás,
sería feliz.

Si yo encontrara lo positivo en todos,
la vida sería más digna de ser vivida.

Si yo amara al mundo,
lo cambiaría.

Si yo me diera cuenta de que al lastimar,
el primer lastimado soy yo.

Si yo criticara menos y amara más...
si yo cambiara...

¡Cambiaría al mundo!

Anamaría Rabatté

La felicidad de hoy no es grano para ser almacenado en una caja, no es vid a quedarse en una vasija, no puede conservarse para mañana, debe sembrarse y cosecharse el mismo día.

Anónimo

Hablar con freudianos cura,
hablar con frommianos cura,
porque el hablar, es lo que cura.

Buscamos fuera
lo que dentro llevamos...
¡Cuán locos erramos!

Lo único real
son los sueños soñados,
con ojos despiertos.

Pensar en el dolor
que quizá pueda venir,
es eterno sufrir.

Lo que somos está en lo que escribimos,
en lo que contamos
y en las personas que amamos.

Fernando Martínez Cortés

A una mujer que se quejaba de que las riquezas no habían conseguido hacerla feliz, le aijo El Maestro:

"Hablas como si el lujo y el confort fueran ingredientes de la felicidad, cuando de hecho lo único que necesitas para ser realmente feliz, es algo por qué entusiasmarte".

Sabiduría Oriental

Dar, me produce más felicidad que recibir, no porque sea una expresión de privación, sino porque en el acto de dar, está la expresión de mi vitalidad.

Anónimo

Desiderata

Camina serenamente entre el ruido y la agitación, piensa que puede haber paz en el silencio. Hasta donde sea posible y sin rendirte, trata de estar en buenos términos con todo el mundo. Di tu verdad serena y claramente y escucha a los demás, hasta a los aburridos e ignorantes; ellos también tienen su historia.

Evita a las personas agresivas y escandalosas, pues son espinas para el espíritu. Si te comparas con los demás puedes ser vanidoso o amargado, porque siempre habrá personas menos capaces y personas más capaces que tú. Disfruta de tus éxitos y de tus planes, igual que de tus fracasos.

Guarda interés en tu propia carrera, por humilde que sea; es una posesión real en los cambios de fortuna del tiempo. Sé cuidadoso, pues el mundo está lleno de trampas; mas no dejes que esto te ciegue a la virtud que existe; muchas personas están luchando por altos ideales y por todas partes la vida está llena de heroísmo.

Sé tú mismo. Especialmente no muestres tu afecto cuando no lo sientas; tampoco seas cínico en el amor, porque a pesar de toda la aridez y desencanto, es eterno como Dios.

Acepta con cariño el paso de los años y entrega con gracia las cosas de la juventud. Alimenta la fuerza del espíritu para que te proteja y sostenga en la desgracia repentina. No te atormentes con la imaginación; muchos temores nacen de la fatiga y la soledad. Además de seguir una autodisciplina saludable, sé gentil contigo mismo.

Tú eres una criatura del Universo, igual que los árboles y las estrellas; tú tienes derecho a estar aquí y aunque sea o no claro para ti, no hay duda de que el Universo marcha como debe.

Por eso debes estar en paz con Dios, cualquiera que sea tu idea de Él. Y no importa cuáles son tus inclinaciones y aspiraciones, conserva la paz de tu alma en la bulliciosa confusión de la vida.

Aun con toda su farsa, penalidades y sueños fallidos, el mundo es muy hermoso.

Sé cauto. ¡Esfórzate por ser feliz!

Max Ehrmann

Un amigo es como un faro, su luz nos guía.

Roger Patrón Luján

Amistad

Si tienes un amigo, has merecido un don divino.

La amistad leal, sincera, desinteresada, es la verdadera comunión de las almas. Es más fuerte que el amor, porque éste suele ser celoso, egoísta y vulnerable. La verdadera amistad perdura y se fortalece a través del tiempo y la distancia.

No se necesita ver frecuentemente al amigo para que la amistad perdure; basta saber que éste responderá cuando sea necesario, con un acto de afecto, de comprensión y aun de sacrificio.

La amistad no se conquista, no se impone; se cultiva como una flor; se abona con pequeños detalles de cortesía, de ternura y de lealtad; se riega con las aguas vivas de desinterés y de cariño silencioso. No importan las distancias, los niveles sociales, los años o las culturas. La amistad lo borra todo.

El recuerdo del amigo lejano, del amigo de la niñez o el de la juventud, produce la íntima alegría de haberlos conocido. Nuestra vida se enriqueció con su contacto por breve que haya sido.

La felicidad del amigo nos da felicidad. Sus penas se vuelven nuestras porque hay un maravilloso lazo invisible que une a los amigos. La amistad es bella sobre toda ponderación.

Para el que tiene un amigo, no existe la soledad.

Anónimo

Un amigo es un hermano que elegimos.

Francisco José Droz

La amistad del hombre es con frecuencia un apoyo; la de la mujer es siempre un consuelo.

Johann Paul Richter

Romance del amigo

No tan cerca del amigo
que bien querido se sabe;
ni tan lejos del amigo
que en ansiedad nos reclama.

No dejes crecer la hierba
en caminos de amistad,
y que haya vino en la mesa
para ofrendar pan y sal.

A quien tiene un buen amigo
dio dos almas el Señor;
pero perder al amigo
esto no lo perdona Dios.

Y que no medre la hierba
en sendas de afinidad,
y no falten en la mesa
la sal, el vino y el pan.

Gozar con el viejo amigo
nuestra moneda más nueva;
sufrir con el viejo amigo
nuestra más vieja querella.

No pueblen cardo ni hierba
veredas de intimidad,
porque tenga nuestra mesa
camino franco a llegar.

No tan cerca del amigo
con cariño que empalague;
ni tan lejos del amigo
que nuestra imagen deslave.

Arrancar la mala hierba
y hacer fuego en el hogar;
que no agrie el vino la mesa,
ni amarguen la sal y el pan.

Ernesto Abad y Soria

Todos tenemos hambre

Bien sabes que todos tenemos hambre:

Hambre de pan, hambre de amor, hambre de conocimiento, hambre de paz, hambre de amistad.

Este mundo es el mundo de los hambrientos.

El hambre de pan, melodramáticamente, soflamera, ostentosa, es la que más nos conmueve, pero no es la más digna de conmovernos.

¿Qué me dices del hambre de amor?

¿Qué me dices de aquél que quiere que lo quieran y se pasa la vida sin que nadie le dé una migaja de cariño?

¿Y el hambre de conocimiento?

El hambre del pobre de espíritu que ansía saber y choca brutalmente contra el zócalo de granito de la Esfinge?

¿Y el hambre de paz que atormenta al peregrino inquieto, obligado a desgarrarse los pies y el corazón por los caminos?

Todos tenemos hambre, sí, y todos, por lo tanto, podemos hacer caridad.

Aprende a conocer el hambre del que te habla... en el concepto de que, fuera del hambre de pan, todas se esconden. Cuando más inmensas, más escondidas...

Amado Nervo

Tu enemigo puede ser tu amigo, si le permites ser quien es.

Anónimo

La amistad multiplica los gozos y divide las penas.

Anónimo

La amistad

Es el más noble y sencillo de los sentimientos.

Crece al amparo del desinterés, se nutre dándose, y florece con la comprensión.

Su sitio está junto al amor, porque la amistad es amor.

Sólo los honrados pueden tener amigos, porque la amistad no admite cálculos, ni sombras, ni dobleces.

Exige, en cambio, sacrificio y valor, comprensión y verdad; verdad sobre todas las cosas.

Horacio E. Ratti

Un amigo fiel es una defensa sólida, y aquel que lo ha encontrado, ha encontrado un tesoro.

Eclesiastés

En la prosperidad, nuestros amigos nos conocen.
En la adversidad, nosotros los conocemos.

J. Churton

Cuenta tu jardín

Cuenta tu jardín por las flores,
no por las hojas caídas.

Cuenta tus días por las horas doradas,
y olvida las penas habidas.

Cuenta tus noches por estrellas,
no por sombras.

Cuenta tu vida por sonrisas,
no por lágrimas.

Y para tu gozo en esta vida,
cuenta tu edad por amigos,
no por años.

Anónimo

La amistad es una planta que crece con lentitud y tiene que aguantar las sacudidas de la adversidad, antes de merecer su nombre.

Anónimo

¡Qué difícil es ganar un amigo en un año, y qué fácil es perderlo en un momento!

Anónimo

Hombre-Mujer, binomio divino.

Roger Patrón Luján

Artículo "HOMBRE"

Se precisan veinte años para llevar al hombre, del estado de planta en que se encuentra en el vientre de su madre y del estado puro animal, que es la condición de su primera infancia, hasta el estado en que empieza a manifestarse la madurez de la razón.

Ha sido preciso treinta siglos, para conocer un poco su estructura.

Sería precisa la eternidad misma, para conocer algo de su alma.

No es preciso sino un instante para matarlo.

Voltaire

Desde mi punto de vista, sólo puede ser llamado notable el hombre que se distingue de los demás por los recursos de su espíritu; y que sabe contener las manifestaciones provenientes de su naturaleza, mostrándose al mismo tiempo justo e indulgente hacia las debilidades de los demás.

George Ivanovich Gurdjieff

Mi búsqueda no es sencilla

He encontrado en mi vida amigos, enemigos, conocidos, científicos, intelectuales, pacifistas y aún continúo mi pesquisa porque lo que yo deseo es:

¡UN HOMBRE!

UN HOMBRE que no tema a la ternura; que se atreva a ser débil cuando necesite detenerse a recobrar fuerzas para la lucha diaria; que no piense que al amarme lo derroto, o que al amarlo me aniquila.

UN HOMBRE que me proteja de los demás y de mí misma, que conociendo mis errores, los acepte y me ayude a corregirlos.

UN HOMBRE que quiera y sepa reconocer mis valores espirituales y sobre ellos pueda construir todo un mundo; que nunca me rebaje con su trato.

UN HOMBRE que con cada amanecer me ofrezca una ilusión, que aliente nuestro amor con toda delicadeza para que una flor entregada con un beso tenga más valor que una joya.

UN HOMBRE con el que se pueda hablar, que jamás corte el puente de comunicación y ante quien me atreva a decir cuanto pienso, sin temor de que me juzgue y se ofenda, y que sea capaz de decírmelo todo, incluso que no me ama.

UN HOMBRE que tenga siempre los brazos abiertos para que yo me refugie en ellos cuando me sienta amenazada e insegura, que conozca su fortaleza y mi debilidad, pero jamás se aproveche de ello.

UN HOMBRE que tenga abiertos los ojos a la belleza, a quien domine el entusiasmo y ame intensamente la vida; para quien cada día sea un regalo inapreciable que hay que vivir plenamente, aceptando el dolor y la alegría con igual serenidad.

UN HOMBRE que sepa ser siempre más fuerte que los obstáculos, que jamás se amilane ante la derrota y para quien los contratiempos sean más estímulos que adversidad, pero que esté tan seguro de su poder que no se sienta en la necesidad de demostrarlo a cada minuto en empresas absurdas sólo para probarlo.

UN HOMBRE que no sea egoísta, que no pida lo que no se ha ganado, pero que siempre haga esfuerzos para tener lo mejor porque lo ha ganado.

UN HOMBRE que goce dando y que sepa recibir.

UN HOMBRE que se respete a sí mismo, porque así sabrá respetar a los demás; que no recurra jamás a la burla ni a la ofensa, que más rebajan a quien las hace que a quien las recibe.

UN HOMBRE que no tenga miedo de amar, ni que se envanezca porque es amado; que goce el minuto como si fuera el último, que no viva esperando el mañana porque tal vez nunca llegue.

... cuando lo encuentre, lo amaré intensamente.

Anónimo

Porque soy mujer, debo hacer un esfuerzo extraordinario para tener éxito. Si fracaso, nadie dirá: "Ella no tiene lo que se necesita", sino que dirán: "Las mujeres no tienen lo que se necesita".

Claire Boothe-Luce

Una mujer

Mi búsqueda no es algo fácil.

En mi paso por este mundo he conocido toda clase de personas, de todas las condiciones sociales; pero a fin de cuentas sólo se ha tratado de gente, y lo que yo busco es:

¡UNA MUJER!

Pero UNA MUJER que no sea una muñequita de aparador, ni la rosa candorosa e ingenua. Tampoco que sea la hermosura mercenaria, ni la madre sumisa y abnegada o la esclava del hogar. Busco UNA MUJER que se atreva a ser ella misma con todas sus potencialidades.

UNA MUJER que no tema ser fuerte, segura e independiente, porque con ello no pierde su feminidad, y en cambio, toma el lugar que le corresponde en la evolución de la pareja humana.

UNA MUJER dispuesta a descubrir y a desarrollar todos sus valores y potencial, porque los hombres no maduramos emocionalmente jamás si tenemos compañeras, madres o hermanas que han dado poca importancia al crecimiento como personas. La evolución supone un crecimiento compartido.

UNA MUJER preparada y decidida, que no sólo sepa qué hacer, sino cómo y cuándo hacerlo, porque así será un respaldo para mí, como yo con gusto lo seré para ella.

UNA MUJER que me descargue de todo el peso de un amor no entregado, porque nunca antes alguien lo había recibido por completo.

UNA MUJER que me ayude a verme como soy, no como creo que soy. Que tenga tacto al decirme mis defectos en el momento en que soy más receptivo, para que digiera la crítica constructiva y pueda así, florecer como persona.

UNA MUJER que sea tierna, sin que pierda firmeza; seria sin llegar a ser solemne; deseosa de superarse sin sentirse superior; dulce, sin ser melosa, y con la frescura de una chamaca, sin caer en lo pueril.

UNA MUJER que sea mi compañera en todo: desde tender la cama juntos, hasta adentrarnos en una aventura intelectual, pasando por la experiencia de trabajar hombro a hombro y recorrer un parque en bicicleta.

UNA MUJER que no se alarme si alguna vez me ve llorar (quiero recuperar esa capacidad de expresión reprimida por el machismo) y que me aliente a "darme permiso" de ser débil y a pedir ayuda a pesar de ser el hombre fuerte.

UNA MUJER que descubra lo que le gusta en la vida, y que se esfuerce por averiguar lo que quiere realmente de la misma, teniendo el valor de pagar el precio de sus más grandes anhelos.

UNA MUJER que no se deje utilizar y que nunca manipule a otro ser humano, incluyendo a su pareja, pues no tiene objeto caer en una simbiosis destructiva, cuando existe la alternativa luminosa de un crecimiento recíproco.

UNA MUJER que sepa que el hombre está llamado a ser el más elevado de los seres vivientes; pero que ella, como mujer, fue concebida como la más sublime de las creaciones del Universo.

Cuando la encuentre, la amaré intensamente.

Y me pregunto: ¿acaso esa MUJER eres tú?

Rafael Martín del Campo

Un matrimonio no se mantiene unido por medio de cadenas, sino de hilos; cientos de delgadísimos hilos que enlazan las vidas de las personas a través de los años.

Anónino

El mundo busca hombres...

El mundo anda siempre en busca de:

Hombres que no se vendan.

Hombres honrados, sanos desde el centro hasta la periferia.

Hombres íntegros hasta el fondo del corazón.

Hombres de conciencia fija e inmutable como la aguja que marca el norte.

Hombres que defiendan la razón aunque los cielos caigan y la tierra tiemble.

Hombres que digan la verdad sin temor al mundo.

Hombres que no se jacten ni huyan, que no flaqueen ni vacilen.

Hombres que tengan valor sin necesidad de acicate.

Hombres que sepan lo que hay que decir y que lo digan.

Hombres que sepan cuál es su puesto y que lo ocupen.

Hombres que conozcan su trabajo y su deber y que lo cumplan.

Hombres que no mientan, ni se escurran ni rezongen.

Hombres que quieran comer sólo lo que han ganado.

Hombres que no deban lo que llevan puesto.

O. Sweet

No nos casamos con una persona, sino con tres: la que uno cree que es, la que en realidad es, y la persona que se convertirá como resultado de haberse casado con uno.

Anónimo

El hombre y la mujer

El hombre es la más elevada de las criaturas;
la mujer el más sublime de los ideales.

El hombre es el cerebro, la mujer el corazón;
el cerebro fabrica la luz, el corazón el amor;
la luz fecunda, el amor resucita.

El hombre es fuerte por la razón;
la mujer es invencible por las lágrimas;
la razón convence, las lágrimas conmueven.

El hombre es capaz de todos los heroísmos;
la mujer de todos los martirios;
el heroísmo ennoblece, el martirio sublima.

El hombre es un código;
la mujer es un sagrario;
el código corrige, el evangelio perfecciona.

El hombre es un templo;
la mujer es un santuario;
ante el templo nos descubrimos, ante el santuario nos arrodillamos.

El hombre piensa;
la mujer sueña;
pensar es tener en el cráneo una larva, soñar es tener en la frente una aureola.

El hombre es un océano;
la mujer es un lago;
el océano tiene la perla que adorna, el lago la poesía que deslumbra.

El hombre es el águila que vuela;
la mujer el ruiseñor que canta;
volar es dominar el espacio, cantar es conquistar el alma.

En fin;
el hombre está donde termina la tierra,
la mujer donde comienza el cielo.

Anónimo

Mujer

Dios, que estaba ocupado en crear a las madres, llevaba ya seis días trabajando extraordinariamente cuando un ángel se le presentó y le dijo:

- Te afanas demasiado, Señor.

Y el Señor le repuso:

- ¿Acaso no has leído las especificaciones que debe llenar este pedido?:

"Esta criatura tiene que ser lavable de pies a cabeza, pero sin ser de plástico; llevar 180 piezas movibles, todas reemplazables; funcionar a base de café negro y de las sobras de la comida. Poseer un regazo que desaparezca cuando se ponga de pie; un beso capaz de curarlo todo, desde una pierna rota hasta un amor frustrado... y seis pares de manos".

Y el ángel confundido observó:

- ¿Seis pares de manos? ¡Eso no es posible!

- No son las manos el problema -, agregó el Señor, - sino los tres pares de ojos.

- ¿Y eso para el modelo normal? -, inquirió el ángel.

El Señor insistió:

- Uno para ver a través de la puerta siempre que pregunte: ¿Niños, qué andan haciendo?, aunque ya lo sepa muy bien. Otro, detrás de la cabeza para ver lo que más le valiera ignorar pero precisa saber. Y, desde luego, los de adelante para mirar a un niño en apuros y decirle, sin pronunciar siquiera una palabra: "Ya entiendo hijo y te quiero mucho".

El ángel tiró de la manga y advirtió mansamente:

- Vale más que te vayas a la cama, Señor, mañana será otro día...

- No puedo, y además me falta poco. Ya hice una que se cura por sí sola cuando enferma, que es capaz de alimentar a una familia de seis con medio kilo de carne molida y de persuadir a un chiquillo de nueve años que se esté quieto bajo la ducha.

Lentamente el ángel dio la vuelta en torno de uno de los modelos maternales:

- Me parece demasiado delicado -, comentó con un suspiro.

- Pero es muy resistente -, aseguró Dios emocionado, - no tienes idea de lo que es capaz de hacer y sobrellevar.

- ¿Podrá pensar?

- ¡Claro! Y razonar y transigir.

Por último el ángel se inclinó y pasó una mano por la mejilla del modelo.

- ¡Tiene una fuga!

- No es una fuga, es una lágrima.

- ¿Y para qué sirve?

- Para expresar gozo, aflicción, desengaño, pesadumbre, soledad y orgullo.

- Eres un genio, Señor -, dijo el ángel.

Y Dios, con un perfil de tristeza, observó:

- ¡Yo no se la puse!

Anónimo

La gran ambición de las mujeres es inspirar amor.

Molière

En la mujer el hombre aprecia

El buen humor y el optimismo.
La naturalidad y el tacto.
La inteligencia sin ostentación.
La cultura sin pedantería.
La conversación atractiva y amena.
La feminidad en todos los momentos.
Que sepa escucharle con atención, sin interrumpirlo a cada instante.
Que lo adule discreta y oportunamente.
Que le muestre su admiración y confianza.
Que se interese en sus problemas y actividades.
Que le deje sentirse un poco protector y sepa cuando mimarlo.
Que sepa cuando dejarlo solo con sus pensamientos.
Que sepa ser discreta con su pasado.
Que sea buena compañera y se divierta con lo que él se divierte.
Que ella se comporte como una dama, esto es, con dignidad y decoro.

En el hombre la mujer aprecia

El deseo constante de superación.
El buen humor y el optimismo.
La caballerosidad en todos sus actos.
La cultura y las ideas creadoras.
La honradez y el cumplimiento de su trabajo.
La energía, pero sin rudeza.
La firmeza y lealtad en el amor.
La cortesía y galantería en todo momento.
Que le pregunte su opinión sobre algunos de sus asuntos.
Que combine el amor con la poesía.
Que sea cariñoso y comprensivo.
Que sea limpio en su persona y sus pensamientos.
Que siempre la respalde ante los demás.
Que sepa responder dignamente y en forma justa de todos sus actos.
Que sea atento con la familia de ella.
Que sea cuidadoso en su lenguaje.
Que se fije cuando ella ha esmerado sus arreglos para él.
Que no tenga vicios.

Anónimos

En la mujer al hombre le desagrada

El deseo constante de exhibición.
La conversación excesiva, venenosa o desatinada.
Las escenas de celos.
La desconfianza.
Los reproches.
Las lágrimas sentimentalistas.
El carácter violento.
Las respuestas bruscas.
La hipocresía.
Las pequeñas mentiras.
La coquetería exagerada.
La indiscreción.
El exceso de frivolidad.
El deseo de lujo, la pedantería, la presunción y el orgullo exagerado.
Que adopte poses infantiles o de vampiresa.
Que demuestre demasiada cultura o independencia.
Que pregunte sistemáticamente: ¿De dónde vienes? ¿Qué hiciste?

En el hombre a la mujer le desagrada

La falta de responsabilidad y seriedad.
La vulgaridad y la presunción.
La falta de entereza ante los problemas.
La tacañería, la exageración y la inconstancia.
La falta de previsión.
La violencia en sus actos.
Los celos, la grosería y la falta de respeto.
La falta de discreción respecto de sus aventuras y más aún, sus mismas aventuras.
La necedad al discutir y las frases de doble sentido cuando platica con amigos.
La falta de atención en su hogar.
Que se sienta "Don Juan".
Que se deje manejar por sus amigos.
Que fume en exceso.
Que tome copas de más, que le hagan perder el control.
Que lea el periódico en la mesa.
Que tenga demasiadas juntas en la noche.
Que en vez de un regalo, le dé dinero "para que se compre lo que quiera".

Anónimos

El arte del matrimonio

Un buen matrimonio debe crearse.

Dentro de este, las cosas pequeñas son las más importantes...

Es nunca ser demasiado viejo para tomarse de las manos.

Es recordar decir "Te quiero" por lo menos una vez al día.

Es nunca ir a dormir estando enojados.

Es estar de acuerdo en los valores y tener objetivos comunes.

Es estar juntos frente al mundo.

Es formar un círculo de amor que una a toda la familia.

Es decir palabras de estímulo y siempre demostrar gratitud con detalles y cariño.

Es tener capacidad de perdonar y olvidar.

Es dar uno al otro una atmósfera en la que cada uno se pueda desarrollar.

Es realizar una búsqueda en común de lo bueno y de lo hermoso.

No es solamente casarse con la persona adecuada...

Es ser el socio ideal.

Wilferd A. Peterson

¿Dónde está el hogar? El hogar está donde el corazón ríe sin timidez y las lágrimas del corazón se secan por si solas.

Vernon Blake

Tú me quieres blanca

Tú me quieres alba, me quieres de espuma,
me quieres de nácar. Que sea azucena
sobre todas casta, de perfume tenue,
corola cerrada; ni un rayo de luna
filtrado me haya, ni una margarita
se diga mi hermana. Tú me quieres nívea,
tú me quieres blanca, tú me quieres casta.

Tú que hubiste todas las copas a mano;
¡de frutas y mieles los labios morados!
Tú que en el banquete cubierto de pámpanos,
dejaste las carnes festejando a Baco.
Tú que en los jardines negros del Engaño,
vestido de rojo corriste a Estrago.
Tú que el esqueleto conservas intacto,
no sé todavía por cuáles milagros;
me pretendes blanca... ¡Dios te lo perdone!
me pretendes casta... ¡Dios te lo perdone!
¡Me pretendes alba!

Huye hacia los bosques, vete a la montaña,
límpiate la boca, vive en las cabañas,
toca con las manos la tierra mojada.
Alimenta el cuerpo con raíz amarga,
bebe de las rocas, duerme sobre escarcha,
renueva tejidos con salitre y agua,
habla con los pájaros y elévate al alba;
y cuando las carnes te sean tomadas
o cuando hayas puesto en ellas el alma
que en las alcobas se quedó enredada,
entonces, buen hombre,
¡preténdeme nívea, preténdeme blanca, preténdeme casta!

Alfonsina Storni

Estudia, trabaja, cásate y sé como quieras, hijo mío, siempre y cuando tus acciones conlleven la alegría de vivir.

Roger Patrón Luján

Tus hijos no son tus hijos

Tus hijos no son tus hijos.
Son los hijos de la Vida deseosa de sí misma.

No vienen de ti sino a través de ti,
y aunque estén contigo no te pertenecen.

Puedes darles tu amor pero no tus pensamientos,
pues ellos tienen sus propios pensamientos.

Debes abrigar sus cuerpos pero no sus almas,
porque sus almas viven en la casa del mañana,
que no puedes visitar ni siquiera en tus sueños.

Puedes esforzarte en ser como ellos,
pero no procures hacerlos semejantes a ti.

Porque la vida no retrocede ni se detiene en el ayer.

Ustedes son los arcos de los cuales sus hijos,
como flechas vivas son lanzados.

El Arquero ve la marca en el camino de lo infinito,
y te dirige con su poder para que Sus flechas vayan raudas y lejanas.

Deja que la inclinación en Su mano de arquero sea para la felicidad;
porque así como Él ama la flecha que vuela,
ama también el arco que es firme.

Gibrán Jalil Gibrán

Oración de un padre

Dame Señor, un hijo
que sea lo bastante fuerte para saber cuando es débil,
y lo bastante valeroso para enfrentarse a sí mismo cuando sienta miedo.

Un hijo que sea orgulloso e inflexible en la derrota,
y humilde y magnánimo en la victoria.

Dame un hijo que nunca doble la espalda cuando deba erguir el pecho.

Un hijo que sepa conocerte a Ti...
y conocerse a sí mismo, que es la piedra fundamental del conocimiento.

Condúcelo, te lo ruego, no por el camino cómodo y fácil,
sino por el camino áspero, aguijoneado por las dificultades y los retos.
Y ahí, déjalo aprender a sostenerse firme en la tempestad,
cuyos ideales sean altos.

Un hijo que se domine a sí mismo antes que pretenda dominar a los demás;
un hijo que avance hacia el futuro,
pero que nunca se olvide del pasado.

Y después de que todo eso sea de él,
agrégale, te lo suplico, suficiente sentido del humor,
de modo que pueda ser siempre serio,
pero que no se tome a sí mismo demasiado en serio.

Dale humildad,
para que pueda recordar siempre la sencillez de la verdadera grandeza,
la imparcialidad de la verdadera sabiduría
y la mansedumbre de la verdadera fuerza.

Entonces, yo, su padre, me atreveré a murmurar:

¡No he vivido en vano!

Douglas MacArthur

A mi hijo

Hijo mío:

Si quieres amarme bien puedes hacerlo,
tu cariño es oro que nunca desdeño.

Mas quiero que sepas que nada me debes,
soy ahora el padre, tengo los deberes.

Nunca en la alegría de verte contento,
he trazado signos de tanto por ciento.

Mas ahora, mi niño, quisiera avisarte,
mi agente viajero llegará a cobrarte.

Presentará un cheque de cien mil afanes,
será un hijo tuyo, gota de tu sangre.

Y entonces mi niño, como un hombre honrado,
en tu propio hijo deberás pagarme.

Anónimo

Alguien comentó, cuando nos entregaban a nuestra segunda hija adoptiva:

- ¡Qué felicidad tan grande es para estas niñas, llegar a un hogar como el de ustedes!

Y con gran alegría, le respondimos:

- ¡Felicidad es la que ellas nos han dado al ser parte de nuestra familia!

Familia García Naranjo Ortega

Ser hombre

A mi hijo Michel, al cumplir sus quince años:

Ser hombre, hijo mío,
es pisar en las brazas del miedo,
y seguir caminando;
soportar el dolor de la carne en silencio y la aridez en los ojos,
mas dejar que las lágrimas fluyan,
si el quebranto es del alma.

Es cercar el valor de prudencia
y el ardor de cautela,
sin torcer el propósito,
sin mellar la decisión forjada en el tesón,
la paciencia, la razón, la experiencia
y la meditación.

Es pasar
--con los brazos ceñidos al cuerpo,
los labios inmóviles, conteniendo el aliento--
junto al castillo de arena
(que es la felicidad que construyó otro hombre)
si con tu palabra o al extender tu brazo,
pudieras derribarle.
¡Porque arruinar la dicha de tu prójimo
es más grave, peor, que introducir tu mano
en el bolsillo para robarle!

Hijo mío,
no desdeñes el oro,
más no dejes que el oro señoree tu vida.
Acumula bastante
para no tener nunca que extender tu mano a la piedad de otro,
y sí poder, en cambio,
poner algo en la mano que hacia ti se extiende.

Y al que te pide un pan, no le des consejo.
No te juzgues más sabio que aquel que busca ayuda.
Dale apoyo y aliento y comparte su carga;
dale tu oro y tu esfuerzo,
y después da el consejo.

Al temor no le pongas el disfraz del perdón;
el valor, hijo mío, es la virtud más alta,
y confesar la culpa, el supremo valor.
No eches pues en los hombros de tu hermano la carga,
ni vistas a los otros con las ropas de tu error.

Es tu deber, si caes, no obstante la caída,
tu ideal y tu anhelo mantener siempre enhiestos;
y no buscar la excusa, ni encontrar la disculpa:
los héroes, hijo mío, nunca esgrimen pretextos.

La mentira es hollín, no te manches los labios.
Y no ostentes ser rico, ser feliz o ser sabio,
delante del que exhibe la llaga del fracaso.
No subleves la envidia, la admiración, los celos,
y busca la sonrisa, no busques el aplauso.

Y perdónale al mundo su error
si no valora tus merecimientos en lo que crees que valen;
(es probable, hijo mío, que el más justo avalúo
es el que el mundo hace).

Y por fin, hijo mío:
que no turbe tu sueño la conciencia intranquila;
que no mengüe tu dicha el despecho abrasivo,
ni tu audacia flaquee ante la adversidad.
No deforme tu rostro jamás la hipocresía
y no toque tu mano, traición o deslealtad.

Y aun hay más, hijo mío:
que al volver tu mirada
sobre el camino andado,
no haya lodo en tus pies,
ni se encuentre en tu huella
una espiga,
una mies,
o una flor pisoteada.

Hijo mío, es esto lo que esa breve frase,

SER HOMBRE, significa.

Elías M. Zacarías

¿Cómo nací?

--¿Cómo nací?¿Cuál es mi principio?-, pregunté un día a mis padres.

Me miraron con gran ternura y con felicidad radiante, me invitaron a sentarme en medio de ellos y sin dudas ni titubeos o poses especiales,empezó a hablar mi padre:

--Tu principio somos nosotros dos; nos unimos por amor y de nuestra comunidad naciste tú. Quiero decir, que nosotros dos estamos unidos en ti. Tú eres la expresión sensible y tangible de nuestra unión. Eres parte de nosotros mismos.

Desde que tu mamá y yo nos conocimos y empezamos a tratarnos, ya pensábamos en ti. Eras nuestra ilusión, nuestra esperanza, expresión de nuestro amor y esto hizo que cada uno de nosotros diera algo de sí, para que existieras--.

Alfonso Orozco

Si el Supremo Creador te da un hijo,
¡tiembla!
por el sagrado depósito que te confiere.

Haz que ese hijo
hasta los diez años, te admire;
hasta los veinte, te ame.

Sé para ese hijo
hasta los diez años, su padre;
hasta los veinte, su maestro;
y, hasta la muerte, su amigo.

Anónimo

Lo que piensa un hijo del padre

A los siete años:

Papá es un sabio, todo lo sabe.

A los catorce años:

Me parece que papá se equivoca en algunas de las cosas que dice.

A los veinte años:

Papá está un poco atrasado en sus teorías, no es de esta época.

A los veinticinco años:

El viejo no sabe nada... está chocheando decididamente.

A los treinta y cinco años:

Con mi experiencia, mi padre a esta edad, hubiera sido millonario.

A los cuarenta y cinco años:

No sé si ir a consultar este asunto con el viejo, tal vez pueda aconsejarme.

A los cincuenta y cinco años:

¡Qué lástima que se haya muerto el viejo, la verdad es que tenía unas ideas y una clarividencia notables!

A los setenta años:

¡Pobre papá, era un sabio! ¡Qué lástima que yo lo haya comprendido tan tarde!

Anónimo

Para tu juego más importante

Toma el balón, hijo mío,
y te nombro "quarter back" de tu equipo en el juego de la vida.
Soy tu "coach" y te la doy tal como es.
Sólo hay un calendario de juegos:
dura toda la vida y es un solo juego.

Es un partido largo, sin tiempos fuera ni sustituciones.
Tú juegas el partido entero toda la vida.
Tendrás un gran "backfield" y mandarás señales;
pero tus otros tres compañeros, atrás de la línea,
también tienen gran prestigio, se llaman:
Fe, Esperanza y Caridad.

Jugarás detrás de una línea verdaderamente poderosa.
De un extremo a otro de ella, se hallan:
Honestidad, Lealtad, Devoción al deber,
Respeto a ti mismo, Estudio, Limpieza y Buena conducta.

Los postes del gol son las perladas puertas del Cielo.
Dios es el referee y único árbitro.
El hace todas las reglas y no hay apelación contra ellas.

Hay diez reglas básicas:
tú las conoces como los Diez Mandamientos,
y las aplicas estrictamente de acuerdo con tu propia religión.

Hay también una regla fundamental:
lo que tú quisieras que otros hicieran por ti,
hazlo tú por ellos.

En este juego, si llegas a perder el balón, pierdes también el juego.

Aquí está el balón.
Es tu alma inmortal que debes estrecharla contra ti.

Ahora, hijo mío:

¡Sal al campo y veamos qué puedes hacer con ella!

Vince Lombardi

Vivir

Sé un hombre útil
más que un hombre hábil,
honesto aunque no te vean.

Sé alguien que viva como piensa.

Vivir no es sólo existir,
sino existir y crear,
saber sufrir y gozar,
y en vez de dormir, soñar.

Descansar,
es un poquito morir.

Anónimo

Un día, uno de mis seis hijos me preguntó:

-- ¿Papá, por qué no nos quieres a todos por igual?

Y yo sorprendido, le respondí:

-- Hijo mío, los quiero a todos por igual y no con la sexta parte de mi amor, porque el amor es indivisible. Mi relación con cada uno de ustedes es diferente, porque tienen diferentes edades, unos son hombres y otras mujeres, porque tienen diferentes gustos y afinidades. En fin... ¡Porque cada uno es único!

Roger Patrón Luján

¿Qué es una niña?

Las niñas son las cosas más agradables que les suceden a las personas.

Nacen con un poco de brillo angelical y aunque algunas veces se desgasta, siempre hay suficiente para cautivar tu corazón, hasta cuando se sientan en el lodo o lloren temperamentalmente o se paseen por la calle con las mejores ropas de mamá.

Una niña puede ser más dulce (y más mala), más a menudo que nadie en el mundo. Puede corretear y tropezar y hacer ruidos raros que te enerven; sin embargo, precisamente cuando abres la boca, se queda quieta con esa mirada especial. Una niña es inocencia jugando con el lodo, belleza sosteniéndose en su cabeza y maternidad jalando una muñeca por el pie.

Las niñas se encuentran en cinco colores --negro, blanco, rojo, amarillo o café-- sin embargo, la Madre Naturaleza siempre se las arregla para seleccionar tu color favorito cuando haces el pedido. Ellas desaprueban la ley de la oferta y la demanda --hay millones de niñas-- pero cada una es tan valiosa como los rubíes.

Dios pide prestado de varias criaturas para hacer a una niña. Usa el canto de un pájaro, el chillido de un cerdo, la terquedad de una mula, los gestos de un mono, la agilidad de un chapulín, la curiosidad de un gato, la velocidad de una gacela, la astucia de una zorra, la dulzura de un gatito y para completar, Él agrega la mente misteriosa de una mujer.

A una niña le gustan los zapatos nuevos, los vestidos para fiesta, los animalitos, el primer año, las matracas, la chica de enfrente, las muñecas, hacer-creer, las clases de baile, los helados, las cocinas, los libros para colorear, el maquillaje, las latas con agua, visitar, las fiestecitas y un niño.

A ella le desagradan las visitas, los niños en general, los perros grandes, la ropa usada, las sillas rectas, las verduras, los trajes para la nieve o quedarse en el patio.

Ella es la más ruidosa cuando tú estás pensando, la más bonita cuando te ha provocado, la más ocupada a la hora de dormir, la más callada cuando quieres presumirla y la más coqueta cuando definitivamente no debe obtener lo mejor de ti otra vez.

¿Quién puede causarte más pena, alegría, irritación, satisfacción, vergüenza y encanto genuino que esta combinación de Eva, Salomé y Florence Nightingale?

Ella puede desarreglar tu hogar, tu cabello y tu dignidad --gastar tu dinero, tu tiempo y tu paciencia-- y justamente cuando estás listo para explotar, su brillo encantador aparece y pierdes otra vez.

Sí, ella es una molestia que te enerva, sólo un manojito ruidoso de calamidades.

Pero cuando tus sueños desfallecen y el mundo es un desorden --cuando parece que tú eres un tonto después de todo-- ella puede hacerte un rey en el momento en que se trepa a tu rodilla y murmura,

¡TE QUIERO!

Alan Beck

Los niños son espejos:

En presencia del amor, es amor lo que reflejan.
Cuando el amor está ausente, no tienen nada que reflejar.

Anthony de Mello

¿Qué es un niño?

Entre la inocencia de la infancia y la dignidad de la madurez, encontramos una encantadora criatura llamada niño.

Los niños vienen en diferentes medidas, pesos y colores, pero todos tienen el mismo credo: disfrutar cada segundo, de cada minuto, de cada hora, de cada día y de protestar ruidosamente (su única arma) cuando el último minuto se termina y los padres los meten a la cama.

A los niños se les encuentra dondequiera: encima, debajo, dentro, trepando, colgando, corriendo o brincando. Las mamás los adoran, las niñas los detestan, los hermanos mayores los toleran, los adultos los ignoran y el Cielo los protege.

Un niño es la verdad con la cara sucia, la belleza con una cortada en el dedo, la sabiduría con el chicle en el pelo y la esperanza del futuro con una rana en el bolsillo.

Cuando estás ocupado, un niño es un carnaval de ruido desconsiderado, molesto y entrometido. Cuando quieres que dé una buena impresión, su cerebro se vuelve de gelatina o se transforma en una criatura salvaje y sádica orientado a destruir el mundo y a sí mismo.

Un niño es una combinación --tiene el apetito de un caballo, la digestión de un traga-espadas, la energía de una bomba atómica, la curiosidad de un gato, los pulmones de un dictador, la imaginación de Julio Verne, la vergüenza de una violeta, la audacia de una trampa de fierro, el entusiasmo de una chinampina y cuando hace algo tiene cinco dedos en cada mano.

Le encantan los helados, las navajas, las sierras, las navidades, los libros de historietas, el chico de enfrente, el campo, el agua (pero no en la regadera), los animales grandes, papá, los trenes, los sábados por la mañana y los carros de bomberos.

Le desagrada las clases de Doctrina, estar acompañado, los colegios, los libros sin ilustraciones, las clases de música, las corbatas, los peluqueros, las niñas, los abrigos, los adultos y la hora de acostarse.

Nadie más se levanta tan temprano, ni se sienta a comer tan tarde. Nadie más se divierte tanto con los árboles, perros y la brisa. Nadie más puede traer en el bolsillo un cortaplumas oxidado, media manzana, un metro de cordel, un saco vacío, dos pastillas de chicle, seis monedas, una honda, un trozo de sustancia desconocida y un auténtico anillo supersónico con un compartimiento secreto.

Un niño es una criatura mágica. Puedes cerrarle la puerta de tu despacho, pero no puedes cerrarle la puerta del corazón. Puedes sacarlo de tu estudio, pero no puedes sacarlo de tu mente.

Mejor ríndete -es tu amo, tu carcelero, tu jefe y tu maestro- una carita sucia, correteagatos, un manojito de ruido.

Pero cuando regresas a casa por las noches con tus sueños y esperanzas hechas trizas, él puede remediarlas y dejarlas como nuevas con dos mágicas palabras:

¡HOLA, PAPITO!

Alan Beck

Antes de castigar a un niño, pregúntate si no serás tú la causa de su problema.

Anónimo

A mis padres

No me des todo lo que pida; a veces yo sólo pido para ver cuánto puedo obtener.

No me des siempre órdenes; si me pidieras las cosas con cariño, yo las haría más rápido y con más gusto.

Cumple las promesas buenas o malas; si me ofreces un premio, dámelo... pero también un castigo si me lo merezco.

No me compares con nadie, especialmente con mi hermano o mi hermana; si tú me haces lucir peor que los demás, entonces seré yo quien sufra.

No me corrijas mis faltas delante de nadie; enséñame a mejorar cuando estemos solos.

No me grites; te respeto menos cuando lo haces, me enseñas a gritar también a mí y no quiero hacerlo.

Déjame valerme por sí mismo; si tú haces todo por mí yo nunca aprenderé.

No digas mentiras delante de mí, ni me pidas que las diga por ti, aunque sea para sacarte de un apuro; me haces sentir mal y perder la fe en lo que dices.

Cuando yo hago algo malo, no me exijas que te diga el por qué, pues a veces ni yo mismo lo sé.

Cuando estés equivocado en algo, admítelo para que crezca la opinión que yo tengo de ti, y así me enseñarás a admitir mis equivocaciones.

Trátame con la misma amabilidad y cordialidad con que tratas a tus amigos; ya que, aunque seamos familia, podemos ser amigos también.

No me digas que haga una cosa que tú no haces; yo aprenderé y haré siempre lo que tú hagas, aunque no lo digas, pero nunca lo que tú digas y no hagas.

Enséñame a conocer y amar a Dios; pero de nada vale si yo veo que tú ni lo conoces, ni lo amas.

Cuando te cuente un problema mío, no me digas : "No tengo tiempo para boberías" o "Eso no tiene importancia"; trata de comprender y ayudarme.

Quiéreme mucho y dímelo; a mí me gusta oírlo, aunque tú creas que no es necesario que me lo digas.

Anónimo

Los niños son profundamente afectados por el ejemplo, y en segundo término por las explicaciones, cuando éstas son simples y claras.

Lo más importante es que crezcan en un ambiente libre de negatividad e impulsados a tener confianza y a expresar su propio ser.

Enséñalos a decir la verdad, a ser honestos y sinceros.

Eso es lo más importante.

Rodney Collin

Permite a tus hijos la satisfacción de adquirir lo que les gusta, con el producto del esfuerzo de su trabajo.

Anónimo

Como hijo pobre

Es absolutamente necesario que se comprenda el error de aquellos padres que se proponen darle al hijo felicidad, como quien da un regalito.

Lo más que se puede hacer, es encaminarlo hacia ella, para que él la conquiste.

Difícil, casi imposible, será después.

Cuanto menos trabajo se tomen los padres en los primeros años, más, muchísimo más, tendrán en lo futuro.

Habitúalo, madre, a poner cada cosa en su sitio y a realizar cada acción a su tiempo. El orden es la primera ley del cielo.

Que no esté ocioso; que lea, que dibuje, que te ayude en alguna tarea, que se acostumbre a ser atento y servicial.

Deja algo en el suelo para que él te lo recoja; incítalo a limpiar, arreglar, cuidar o componer alguna cosa, que te alcance ciertos objetos que necesitas.

Bríndale en fin, las oportunidades para que emplee sus energías, su actividad, su voluntad y lo hará con placer.

¡Críalo como hijo pobre y lo enriquecerás!

¡Críalo como hijo rico y lo empobrecerás para toda la vida!

Anónimo

Nadie puede hacer por los niños lo que hacen sus abuelos; los abuelos rocían polvo de estrellas en las vidas de los pequeños.

Anónimo

De adeveras te lo digo

De adeveras te lo digo:
me voy, padre, de tu casa...
Lo digo así, ¡de tu casa!
porque no la siento mía.
Porque aunque aquí he vivido
desde el día en que nací,
cuando empecé a comprender,
entendí que con nacer,
no basta para ser hijo.

Por eso me voy, y ¡gracias!
lo digo sinceramente.
Nada me faltó a tu lado,
ni la casa ni la escuela,
ni el doctor, ni el juguete favorito;
ni la ropa que hoy me viste,
ni el coche que ayer usé.

Porque quiero -siempre quise-
algo más que no me diste.
Y tu abultada cartera,
fuente siempre surtidora
de remedios materiales,
nunca contuvo billetes,
para comprar un minuto
de tu atención necesaria,
de un tiempo fundamental
para ocuparte de mí.

Pensarás que fui un buen hijo
porque nunca te enterabas:

¿Sabes que troné en la escuela?
¿Que terminé con mi novia?
¿Que corrí una borrachera en antros de mala nota?
¿Que hacía pinta en el colegio?
¿Que probé la mariguana?
¿Que robaba a mamá?

No, no lo sabes.
¡No hubo tiempo de pensar en cosas triviales!

Total, los adolescentes
somos traviesos y flojos,
¡pero al hacernos hombres
enderezamos los pasos!
Pues no, padre, ¡no era el caso!

Y toda mi delincuencia,
era un grito de llamada
al que jamás contestaste
¡que quizá nunca oíste!
Por eso, si hoy me preguntas
en qué punto me fallaste,
sólo podría responderte:
Padre... ¡me fallaste!

¿Que qué voy a hacer?...
¡Quién sabe!
¿A dónde iré?...
¡Qué importa!
¿Dónde encontraré el dinero
para pagar esta vida
a la que me has acostumbrado?...

No puedes creer que viva
sin aire acondicionado,
sin feria para el disco,
sin las chicas, sin las fiestas;
sin un padre involucrado
en industrias y altas empresas,
que es importante en política,
que ha viajado al extranjero
y frecuenta altas esferas.

¿Qué no he de vivir sin esto?
¿Qué así mi vida está hecha?

¿Y quién dijo que era vida
la estancia en estos salones,
por los que sales y entras?
Pero nunca puedo verte ni decirte:
Padre, ¿hoy sí te quedas?
Nunca he vivido en tu casa.
Nunca ha sido vida ésta...

Ahora es que voy a vivir
fuera de aquí, lejos de ti,
sin la esperanza que vengas a mí,
y nunca llegas.

Me voy padre...

Tus negocios, en inversiones de amor,
se han ido a la bancarrota,
y declaras tu quiebra en el comercio de mi amor.

Pagaste caro, y hoy pierdes casi toda la inversión.

Pero si sacas en venta
los pocos bienes que te quedan para salvar el negocio,
¡me propongo como socio!

Y atiende bien a mi oferta, que no habrá mejor postor:
yo te compro para padre
el tiempo que no tuviste para dárselo a tu hijo.

Te compro, para gozarlo,
todo ese cariño inútil que nunca supiste usar.

Pagaré bien por tu risa, tu palabra, tu preocupación,
tu celo y tu caricia.

Te los compro.
Escucha el precio, que aunque no sé de finanzas,
podré ser buen comprador.

Y si te vendes para padre,

¡YO TE PAGO CON EL CORAZÓN!

Rogel Gutiérrez Díaz

Cuando tienes la necesidad imperiosa de ayudar a tus hijos, cuida de no convertirlos en inútiles.

Anónimo

Los niños aprenden lo que viven

Si un niño vive criticado,
    aprende a condenar.

Si un niño vive en un ambiente hostil,
    aprende a pelear.

Si un niño vive ridiculizado,
    aprende a ser tímido.

Si un niño vive avergonzado,
    aprende a sentirse culpable.

Si un niño vive con tolerancia,
    aprende a ser paciente.

Si un niño vive con aliento,
    aprende a tener confianza.

Si un niño vive estimulado,
    aprende a apreciar.

Si un niño vive con honradez,
    aprende a ser justo.

Si un niño vive con seguridad,
    aprende a tener Fe.

Si un niño vive con aprobación,
    aprende a valorarse.

Si un niño vive con aceptación y amistad,
    aprende a encontrar el Amor en el mundo.

Dorothy L. Nolte

Hijo mío, que tu vida esté plena de...

Entusiasmo para ver hacia adelante.

Felicidad para mantenerte dulce.

Problemas para mantenerte fuerte.

Penas para mantenerte humano.

Esperanza para mantenerte feliz.

Fracazos para mantenerte humilde.

Éxitos para mantenerte anhelante.

Amigos que te den bienestar.

Riqueza para satisfacer tus necesidades.

Fe para desterrar la depresión.

Y decisión para hacer que cada día sea mejor que el anterior.

Anónimo

Dormí y soñé que la vida era alegría.
Desperté y vi que era servicio.
Serví y descubrí que en el servicio se encuentra la alegría.

Rabindranaz Tagore

El conocimiento nos conduce a lugares sin fronteras.

Roger Patrón Luján

Parábola de la educación

Iba un hombre caminando por el desierto cuando oyó una voz que le dijo:

--Levanta unos guijarros, métolos a tu bolsillo y mañana te sentirás a la vez triste y contento.

Aquel hombre obedeció. Se inclinó, recogió un puñado de guijarros y se los metió en el bolsillo.

A la mañana siguiente, vio que los guijarros se habían convertido en diamantes, rubíes y esmeraldas.

Y se sintió feliz y triste.

Feliz, por haber recogido los guijarros; triste, por no haber recogido más.

Lo mismo ocurre con la educación.

William Cunningham

Nunca se rebaja tanto el nivel de una conversación, como cuando se alza la voz.

Anónimo

Los ideales son como las estrellas: nunca las podemos tocar con las manos, pero al igual que los marinos en alta mar, las tenemos como nuestra guía y, siguiéndolas, llegamos a nuestro destino.

Carl Schurz

Lo que me molesta no es que me hayas mentido, sino que, de aquí en adelante, ya no podré creer en ti.

Anónimo

Por favor, Dios mío... ¡sólo tengo 17 años!

El día de mi muerte, fue tan común como cualquier día de mis estudios escolares.

Hubiera sido mejor que me hubiera regresado como siempre en el autobús, pero me molestaba el tiempo que tardaba en llegar a casa.

Recuerdo la mentira que le conté a mamá para que me prestara su automóvil; entre los muchos ruegos y súplicas, dije que todos mis amigos manejaban y que consideraría como un favor especial si me lo prestaba.

Cuando sonó la campana de las 2:30 de la tarde para salir de clases, tiré los libros al pupitre porque estaría libre hasta el otro día a las 8:40 de la mañana; corrí eufórico al estacionamiento a recoger el auto, pensando sólo en que iba a manejarlo a mi libre antojo.

¿Cómo sucedió el accidente? Esto no importa. Iba corriendo con exceso de velocidad, me sentía libre y gozoso, disfrutando el correr del auto. Lo último que recuerdo es que rebasé a una anciana, pues me desesperó su forma tan lenta de manejar.

Oí el ensordecedor ruido del choque y sentí un tremendo sacudimiento... Volaron fierros y pedazos de vidrio por todas partes, sentía que mi cuerpo se volteaba al revés y escuché mi propio grito.

De repente desperté. Todo estaba muy quieto y un policía estaba parado junto a mí. También vi a un doctor. Mi cuerpo estaba destrozado y ensangrentado, con pedazos de vidrio encajados por todas partes. Cosa rara, no sentía ningún dolor.

¡Hey! No me cubran la cabeza con esa sábana. ¡No estoy muerto, sólo tengo 17 años! Además tengo una cita por la noche. Todavía tengo que crecer y gozar una vida encantadora... ¡No puedo estar muerto!

Después me metieron a una gaveta. Mis padres tuvieron que identificarme. Lo que más me apenaba es que me vieran así, hecho añicos.

Me impresionaron los ojos de mamá, cuando tuvo que enfrentarse a la más terrible experiencia de su vida. Papá envejeció de repente cuando le dijo al encargado del anfiteatro: "Sí... éste es mi hijo".

El funeral fue una experiencia macabra. Vi a todos mis parientes y amigos acercarse a la caja mortuoria. Pasaron uno a uno con los ojos entristecidos; algunos de mis amigos lloraban, otros me tocaban las manos y sollozaban al alejarse.

¡Por favor, alguien que me despierte! Sáquenme de aquí, no aguanto ver inconsolables a papá y mamá. La aflicción de mis abuelos, apenas les permite andar... mis hermanas y hermanos parecen muñecos de trapo. Pareciera que todos estuvieran en trance. Nadie quiere creerlo, ni yo mismo.

¡Por favor, no me pongan en la fosa! Te prometo Dios mío, que si me das otra oportunidad seré el más cuidadoso del mundo al manejar. Sólo quiero una oportunidad más.

Por favor, Dios mío... ¡Sólo tengo 17 años!

Anónimo

Si te atrae una lucecita, síguela. Si te conduce al pantano, ya saldrás de él. Pero si no la sigues, toda la vida te mortificarás pensando que acaso era tu estrella.

Séneca

No hay mayor pobreza que la soledad.

Madre Teresa de Calcuta

Tres cosas

Conozco "Tres Cosas Preciosas".
Estimo y conservo las tres.
La primera de ellas es el Amor,
la segunda es la Austeridad,
la tercera es la Humildad.

Con Amor se puede ser valeroso,
con Amistad se puede ser generoso,
con Humildad se puede progresar.

Si los hombres no sienten Amor,
no tienen móvil para la valentía.
Si no tienen Austeridad,
carecen de reservas para ser generosos.
Si no son Humildes,
no progresan porque no tendrán una meta que alcanzar.

Y cuando llega la muerte,
les domina el miedo, el dolor y la ignorancia.

Lao-Tse

Todos saben

Cuando todos saben que la belleza es belleza, esto es malo.
Cuando todos saben que lo bueno es bueno,   esto no es bueno.

Por lo tanto, ser y no-ser se hacen el uno para el otro:
La dificultad y la facilidad se complementan,
lo largo y lo corto se forman,
lo alto y lo bajo se contrastan,
la voz y el eco se conforman,
antes y después van de la mano.

Por ello, los sabios manejan un servicio sin esfuerzo
y llevan nuestra guía silenciosa.
Todos los seres trabajan, sin excepción:
Si se mantienen sin ser posesivos,
actúan sin presunción,
y no permanecen en el éxito.
Entonces, por ésta no permanencia
el éxito no se marchará.

Lao-Tse

Las palabras

Las palabras que expresan la verdad, no son agradables;
las palabras que son agradables, no expresan la verdad.

Un hombre bueno, no discute;
el que discute, no es hombre bueno.

El sabio no conoce muchas cosas;
el que conoce muchas cosas, no es sabio.

El sabio no acumula para sí;
mientras más vive para otros, más vive para él mismo.

Mientras más da;
más tiene para sí mismo.

El camino al Cielo es beneficiar a los demás y no dañar;
el camino del sabio es hacer pero no competir.

Lao-Tse

Cuando las cosas

Cuando las cosas no se desean,
es cuando llegan.

Cuando las cosas no se temen,
es cuando se alejan.

Por eso el sabio
quiere conocerse a sí mismo,
pero no se manifiesta.

Ama a Dios,
pero no se exalta por la religión.

Rechaza la violencia,
y se afirma en la calma.

Lao-Tse

Cómo jugar

Nada hay que supere la santidad de quienes han aprendido, la perfecta aceptación de todo cuanto existe.

En el juego de naipes, que llamamos VIDA, cada cual juega lo mejor que sabe, las cartas que le han tocado.

Quienes insisten en querer jugar, no las cartas que le han tocado, sino las que creen que les han tocado... son los que pierden el juego.

No se nos pregunta si queremos jugar.
No es esa la opción.
Tenemos que jugar.

La opción es: ¡CÓMO!

Anthony de Mello

No tomes la vida demasiado en serio, nunca saldrás vivo de ella.

Elbert Hubbard

La vida sólo puede ser comprendida mirando al pasado, y sin embargo, debe ser vivida caminando hacia adelante.

Sören Kierkegaard

Se necesita valor para...

Se necesita valor:

Para ser lo que somos y no pretender lo que no somos.

Para vivir honradamente dentro de nuestros recursos y no deshonestamente a expensas de otro.

Para decir rotunda y firmemente "no" cuando los que nos rodean dicen que "sí".

Para negarse a hacer una cosa mala aunque otros la hagan.

Para pasar las veladas en casa tratando de aprender.

Para huir de los chismes, cuando los demás se deleitan con ellos.

Para defender a una persona ausente, a quien se critica abusivamente.

Para ver en las ruinas de un desastre que nos mortifica, humilla y traba, los elementos de un futuro éxito.

Para ser verdadero hombre o mujer aferrados a nuestras ideas, cuando éstas parecen ser extrañas a otros.

Para guardar silencio en ocasiones en que una palabra nos limpiaría del mal que se dice de nosotros, pero que perjudicaría a otra persona.

Para vestirnos según nuestros ingresos y negarnos a lo que no podemos comprar.

Para alternar con la gente sin tener automóvil propio.

Creo difícil que en menos palabras puedan reunirse tan sabios conceptos y tan juiciosas advertencias.

Pensar un instante nada más en cada una de ellas y procurar seguirlas, sería sin duda una gran enseñanza.

Rosario Sansores

Si

Si puedes estar firme cuando a tu alrededor
     todo el mundo se ofusca y tacha tu entereza.
Si cuando dudan todos, confías en tu valor,
     y al mismo tiempo sabes excusar tu flaqueza.
Si puedes esperar y a tu afán poner brida.
     o blanco de mentiras, esgrimir la verdad,
o siendo odiado, al odio no darle cabida,
     y ni ensalzas tu juicio, ni ostentas tu bondad.

Si sueñas --pero el sueño no se vuelve tu rey;
     si piensas-- y el pensar no mengua tus ardores.
Si el Triunfo y el Desastre no te imponen tu ley
     y los tratas lo mismo, como a dos impostores.
Si puedes soportar que tu frase sincera,
     sea trampa de necios en boca de malvados,
o mirar hecha trizas tu adorada quimera
     y tornar a forjarla con inútiles mellados.

Si todas tus ganancias poniendo en un montón,
     las arriesgas osado en un golpe de azar, y las pierdes,
y luego con bravo corazón,
     sin hablar de tus pérdidas vuelves a comenzar.
Si puedes mantener en la ruda pelea,
     alerta el pensamiento y el músculo tirante,
para emplearlos cuando en ti todo flaquea,
     menos la Voluntad que te dice: "adelante".

Si entre la turba das a la virtud abrigo;
     si marchando con Reyes del orgullo has triunfado;
si no pueden herirte ni amigo ni enemigo;
     si eres bueno con todos, pero no demasiado;
y si puedes llenar los preciosos minutos,
     con sesenta segundos de combate bravío-
tuya es la Tierra y todos sus codiciados frutos,
     y --lo que más importa-- ¡serás Hombre, hijo mío!

Rudyard Kipling

Todo lo que necesito saber lo aprendí en el kindergarden

Todo lo que es necesario saber para vivir, cómo hacer y cómo ser, lo aprendí en el kindergarden. La sabiduría no se encuentra al final de la maestría universitaria, sino en la pila de arena de la escuela.

Esto es lo que aprendí:

> Comparte todo.
> Juega limpio.
> No golpees a las personas.
> Pon las cosas donde las encontraste.
> Limpia tu tiradero.
> No tomes lo que no te pertenece.
> Pide perdón cuando hieras a alguien.
> Lávate la manos antes de comer.
> Jálale.
> Pan caliente y leche fría son buenos para ti.

Vive una vida equilibrada y,

> aprende algo,
> piensa algo,
> y dibuja,
> y pinta,
> y canta,
> y baila,
> y juega,
> y trabaja cada día un poco.
> Duerme una siesta por las tardes.

Cuando salgas al mundo, pon atención, tómate de las manos y permanece unido.

¡Maravíllate!

Toma cualquiera de estos puntos y aplícalos al sofisticado mundo de los adultos y a tu vida familiar, a tu trabajo, al gobierno y al mundo, y verás que sostiene la verdad clara y firme.

¡Piensa qué clase de mundo tendríamos si todas las personas se comportaran así!

Robert Fulghum

La vida

La vida es una oportunidad, aprovéchala.

La vida es belleza, admírala.

La vida es dicha, saboréala.

La vida es un sueño, hazlo realidad.

La vida es un reto, afróntalo.

La vida es un deber, cúmplelo.

La vida es un juego, juégalo.

La vida es costosa, cuídala.

La vida es riqueza, consérvala.

La vida es amor, gózala.

La vida es un misterio, devélalo.

La vida es una promesa, lógrala.

La vida es tristeza, supérala.

La vida es un himno, cántalo.

La vida es un combate, acéptalo.

La vida es una tragedia, enfréntala.

La vida es aventura, arróstrala.

La vida es suerte, persíguela.

La vida es preciosa, no la destruyas.

La vida es la VIDA, defiéndela.

Madre Teresa de Calcuta

En vida, hermano, en vida

Si quieres hacer feliz,
a alguien que quieres mucho,
díselo hoy, sé muy bueno...
en vida, hermano, en vida.

Si deseas dar una flor
no esperes a que se mueran,
mándala hoy con amor...
en vida, hermano, en vida.

Si deseas decir: "Te quiero"
a la gente de tu casa,
al amigo cerca o lejos...
en vida, hermano, en vida.

No esperes a que se muera,
la gente para quererla,
y para hacerle sentir tu afecto...
en vida, hermano, en vida.

Tú serás muy, muy feliz,
si aprendes a hacer felices,
a todos los que conozcas...
en vida, hermano, en vida.

Nunca visites panteones,
ni llenes tumbas de flores,
llena de amor corazones...
en vida, hermano, en vida.

Anamaría Rabatté

Triunfar en la vida es hacer triunfar a los demás.

Monserrat Lozano Téllez

Sé un hombre útil más que un hombre hábil, honesto, aunque no te vean, sé alguien que viva como piensa.

Anónimo

El efecto del ejemplo

¿Quieres ser una influencia positiva para el mundo?

Primero pon en orden tu vida. Básate en el principio único, de manera que tu conducta sea íntegra y eficaz. Si así haces, ganarás respeto y serás una influencia poderosa.

Tu conducta influencia a otros por el efecto del ejemplo. El efecto del ejemplo es eficaz porque todos tienen influencia sobre todos. La gente poderosa tiene poderosa influencia.

Si tu vida funciona, influenciarás a tu familia.

Si tu familia funciona, tu familia influenciará a la comunidad.

Si tu comunidad funciona, tu comunidad influenciará al país.

Si tu país funciona, tu país influenciará al mundo.

Si tu mundo funciona, el efecto del ejemplo se repartirá por el Cosmos.

Recuerda que tu influencia empieza en ti y se multiplica hacia afuera. Por lo tanto, asegúrate de que tu influencia sea a la vez potente e íntegra.

¿Cómo sabrás si esto funciona?

Todo crecimiento avanza hacia afuera de un núcleo fértil y potente.

¡TÚ ERES ESE NÚCLEO!

Lao-tse

Haz todo el bien que puedas,
por todos los medios que puedas,
de todas las maneras que puedas,
en todos los lugares que puedas,
todas las veces que puedas,
a todo la gente que puedas,
durante todo el tiempo que puedas...
y no lo menciones.

John Wesley

Procura imprimir estos preceptos en tu memoria

Procura imprimir estos preceptos en tu memoria:
Examina tu carácter. No propales tus pensamientos,
ni ejecutes nada inconveniente.

Sé sencillo, pero no en modo vulgar.

Los amigos que escojas y cuya adopción hayas puesto a prueba,
sujétalos a tu alma, con garfios de acero;
pero no encallezca tu mano con agasajos
a todo camarada, recién salido del cascarón.

Guárdate de andar en pendencia, pero, una vez en ella,
obra de modo que sea el contrario quien se guarde de ti.

Presta a todos tu oído, pero a pocos tu voz,
toma la crítica de la gente, pero resérvate tu juicio.

Que tu vestido sea tan costoso, como tu bolso lo permita,
pero sin afectación en la hechura: rico, pero no extravagante;
porque el traje revela al sujeto,
y en Francia, las personas de más alto rango y posición,
son en esto, modelo de finura y esplendidez.

No pidas ni des prestado a nadie,
pues el prestar hace perder a un tiempo al dinero y al amigo;
y el tomar prestado embota el filo de la armonía.

Y sobre todo: sé sincero contigo mismo,
y de ello se seguirá, como la noche al día,
que nunca puedas ser falso con nadie.

William Shakespeare

Vivir no es sólo existir, sino existir y crear.
Saber sufrir y gozar, y en vez de dormir, soñar.
Descansar, es un poco morir.

Anónimo

Nunca...

Nunca digas todo lo que sabes,
nunca hagas todo lo que puedes,
nunca creas todo lo que oyes,
nunca gastes todo lo que tienes.

Porque quien dice todo lo que sabe,
hace todo lo que puede,
cree todo lo que oye,
y gasta todo lo que tiene;

Un día dirá lo que no sabe,
hará lo que no debe,
juzgará lo que no ve,
y gastará lo que no tiene.

Inscripción en las Ruinas de Persépolis

*He aprendido a amar... tanto al sol como a la lluvia, a la pregunta como a la respuesta,
a la compañía como a la soledad.*

Irene Fohri

Todo lo que embellece, nutre y alienta la vida, es bueno.
Todo lo que afea, mutila y apaga, es malo.

Albert Schweitzer

Se ennoblece tu vida

Cultivando tres cosas:
   La bondad, la sabiduría y la amistad.

Buscando tres cosas:
   La verdad, la filosofía y la comprensión.

Amando tres cosas:
   La caballerosidad, el valor y el servicio.

Gobernando tres cosas:
   El carácter, el lenguaje y la conducta.

Apreciando tres cosas:
   La cordialidad, la alegría y la decencia.

Defendiendo tres cosas:
   El honor, los amigos y los débiles.

Admirando tres cosas:
   El talento, la dignidad y la gracia.

Excluyendo tres cosas:
   La ignorancia, la ofensa y la envidia.

Combatiendo tres cosas:
   La mentira, el ocio y la calumnia.

Conservando tres cosas:
   La salud, el prestigio y el buen humor.

Anónimo

Sólo la reconciliación salvará al mundo; no la justicia, que suele ser una forma de venganza.

Anónimo

Sabiduría

A menudo he pensado en fórmulas con las cuales se pueda expresar el mecanismo del progreso humano y el cambio histórico.

Me parecen así:

REALIDAD - SUEÑOS	= UN SER ANIMAL
REALIDAD + SUEÑOS	= UN DOLOR DEL CORAZÓN (llamado idealismo)
REALIDAD + HUMOR	= REALISMO
SUEÑOS - HUMOR	= FANATISMO
SUEÑOS + HUMOR	= FANTASÍA
REALIDAD + SUEÑOS + HUMOR	= SABIDURÍA

Lin Yutang

Tu interpretación de lo que ves y oyes, es sólo eso, tu interpretación.

Anónimo

Los sentimientos de inferioridad y superioridad son iguales: ambos proceden del miedo.

Anónimo

La mayor parte del tiempo no nos comunicamos, sólo tomamos turnos para hablar.

Anónimo

Cuando se regala...

Tal es la naturaleza del hombre que,

por el primer regalo,
se postra ante ti;

por el segundo,
te besa la mano;

por el tercero,
se muestra afectuoso;

por el cuarto,
mueve la cabeza en señal de aceptación;

por el quinto,
está demasiado acostumbrado;

por el sexto,
te insulta;

y por el séptimo,
te demanda porque no le has dado lo que se merece.

Sabiduría Popular Rusa

El mundo es tu cuaderno de ejercicios, en cuyas páginas realizas tus sumas.
No es una realidad, aunque puedes expresar la realidad en él, si lo deseas.
También eres libre de escribir tonterías, embustes o de arrancar las páginas.

Anónimo

Lo más importante no es "trabajar", sino "producir" y disfrutar el fruto de nuestro trabajo.

Roger Patrón Luján

Toma tiempo para pensar

Toma tiempo para pensar,
    es el recurso del poder.

Toma tiempo para jugar,
    es el secreto de la eterna juventud.

Toma tiempo para leer,
    es la fuente de la sabiduría.

Toma tiempo para orar,
    es el más grande poder en la tierra.

Toma tiempo para ser amigable,
    es el camino de la felicidad.

Toma tiempo para reír,
    es la música del alma.

Toma tiempo para dar,
    es demasiado corta la vida para ser egoísta.

Toma tiempo para trabajar,
    es el precio del éxito.

Toma tiempo para dar Amor,
    es la llave del cielo.

Anónimo

Si tienes un título universitario, puedes estar seguro de una cosa... ¡Qué tienes un título universitario!

Anónimo

Lo que se dijo, siempre es exactamente lo que se intentaba decir.

Anónimo

No cuesta ningún trabajo...

Porque la mitad de nuestros fracasos y desengaños provienen precisamente de ese afán de querer ser lo que no somos y en querer aparentar lo que tampoco somos, empeñándonos en vivir fuera de la realidad.

Hay quienes, por querer aparentar una riqueza que no tienen, se llenan de deudas que acaban por robarles el sueño y la tranquilidad.

No hay, ni puede haber humillación en reconocer nuestros yerros y procurar corregirlos.

No cuesta ningún trabajo ser honrado.

¡Un nombre limpio es el mejor tesoro y la mejor herencia que podemos legar a nuestros hijos!

Rosario Sansores

Conseguirás la grandeza, cuando prescindas de la dignidad de los que están por encima de ti y hagas que los que están por debajo prescindan de tu dignidad. Cuando no seas arrogante con el humilde, ni humilde con el arrogante.

Anthony de Mello

Lo que es bueno para ti, puede no serlo para otros. ¿Entonces, qué te hace pensar que tu manera es la mejor?

Anónimo

La cortesía

La vida, por breve que sea, nos deja siempre tiempo para la cortesía.

Huye de las gentes que te dicen: "Yo no tengo tiempo para gastarlo en etiquetas" pues su trato te rebajaría. Estas gentes están más cerca de la animalidad que las otras.

¡Qué digo!

La animalidad se ofendería. El perro jamás te dejará entrar sin hacerte fiestas con la cola. El gato mimoso y elástico, en cuanto te vea, irá a frotarse contra ti. El pájaro parecerá escuchar con gracioso movimiento de cabeza lo que dices, y si percibe en el metal de tu voz la cariñosa inflexión que él conoce, romperá a cantar.

La cortesía, es el más exquisito perfume de la vida y tiene tal nobleza y generosidad que todos la podemos dar; hasta a aquellos que nada poseen en el mundo. EL SEÑOR DE LAS CORTESÍAS les concede el gracioso privilegio de otorgarla.

¿En qué abismo de pobreza, de desnudez, no puede caber la amable divinidad de una sonrisa, de una palabra suave, de un apretón de manos?

Amado Nervo

Quizá no nos preocuparía lo que la gente piense de nosotros, si supiéramos que pocas veces ocupamos sus pensamientos.

Anónimo

Tú eres la causa de todo lo que te pasa; ten cuidado de lo que tú causas.

Anónimo

Tú decides

Hasta el día de hoy, has vivido buscando y encontrando una causa del por qué no te salen bien las cosas. Tener siempre "una buena razón" para justificarte es fácil, pero nunca te conducirá al logro de tus objetivos.

Aceptar y ejercer tu responsabilidad personal implica deshacerte del salvavidas que medio te mantiene a flote y probarte que eres capaz de hacerlo por ti mismo y más aún, que eres capaz de avanzar en la dirección que tú deseabas.

¡TÚ DECIDES!

Si sigues responsabilizando a los demás de tus desventuras y permites que un "así soy yo, ¿qué quieres que haga?" te detenga, y si continúas actuando conforme a lo que te indican los demás y aceptas que otras personas sean las que te digan qué está bien y qué está mal.

¡Por favor, no te quejes cuando no consigas lo que quieres! Las personas, aun las que te aman, no saben a dónde vas.

¡ESA DECISIÓN ES SÓLO TUYA!

Ejercerla, es aceptar que tu vida tiene una razón de ser y que es tu responsabilidad encontrarla, como tuya será también la satisfacción de haberla alcanzado.

Anónimo

El que degrada a los demás, se degrada a sí mismo.

Anónimo

La paciencia es la virtud de los fuertes.

Anónimo

No hay víctimas, sólo voluntarios.

Anónimo

El verdadero disfrute

Este es el verdadero disfrute de la vida, el ser utilizado para un propósito reconocido por uno mismo como extraordinario; el ser utilizado totalmente antes de morir; el ser una fuerza de la Naturaleza en lugar de un individuo egoísta, pequeño, acalenturado, lleno de temores y achaques, quejándose porque el mundo no se dedica a hacerlo feliz.

Creo que mi vida pertenece a toda la humanidad, y, mientras yo viva, es mi privilegio hacer por ella cuanto pueda.

Mientras más duro trabaje, más demostraré mi amor y mi regocijo en la vida por la vida misma.

La vida no es "una vela efímera". Es una antorcha espléndida, y quiero que se queme tan brillantemente como sea posible, antes de entregarla a las generaciones futuras.

George Bernard Shaw

En última instancia, la solución de los problemas no consiste en HACER, ni en dejar de HACER, sino en COMPRENDER; porque donde hay verdadera comprensión, no hay problemas.

Anthony de Mello

El que ríe, perdura.

Wilferd A. Peterson

No desistas

Cuando vayan mal las cosas como a veces suelen ir,
cuando ofrezca tu camino sólo cuestas que subir,
cuando tengas poco haber, pero mucho que pagar,
y precises sonreír aun teniendo que llorar,
cuando ya el dolor te agobie y no puedas ya sufrir,
descansar acaso debes, ¡pero nunca desistir!

La vida es curiosa con sus viros y virajes,
como a veces se comprende con un solo aprendizaje,
y a menudo un fracaso pudiera haberse evitado
y también ganado si se hubiera insistido;
no desistas, aunque el paso parezca lento,
quizás logres el triunfo con un solo intento.

Con frecuencia la meta no está tan distante
para ese hombre débil y titubeante,
con frecuencia el luchador se da
cuando el premio del vencedor pudo capturar,
y se entera demasiado tarde, cuando la noche llega
qué tan cerca estaba del premio que anhelaba.

Tras las sombras de la duda ya plateadas, ya sombrías,
puede bien surgir el triunfo no el fracaso que temías,
y no es dable a tu ignorancia figurarse cuán cercano,
pueda estar el bien que anhelas y que juzgas tan lejano.
Lucha, pues por más que tengas en la brega que sufrir,
cuando todo esté peor, más debemos insistir.

Anónimo

Trabajo pesado es, por lo general, la acumulación de tareas livianas que no se hicieron a tiempo.

Anónimo

Aquello a lo que tienes miedo, es una clara indicación de lo siguiente que tienes que hacer.

Anónimo

El valor del carácter

La energía y el trabajo obstinado, superan y vencen los mayores obstáculos.

Casi no hay cosa alguna imposible para quien sabe trabajar y esperar.

Los que se duermen suponiendo que las cosas son imposibles, merecen todo el mal que les sobrevenga.

La impaciencia que parece energía y vigor del espíritu, no es mas que una debilidad y un afán de sufrir.

La impaciencia, hace perder las más importantes ocasiones, produce malas inclinaciones y aversiones que perjudican los más grandes intereses, hace decidir los negocios más importantes por las más insignificantes razones, obscurece el talento, rebaja el valor, y hace al hombre desigual, débil e insoportable.

Los hombres de carácter, son infinitamente más raros que los de talento. El talento puede no ser más que un don de la naturaleza. El carácter, es el resultado de mil victorias logradas por el hombre sobre sí mismo.

El talento es una cualidad, el carácter una virtud.

Fenelón

Dame, Señor,
agudeza para entender,
capacidad para retener,
método y facultad para aprender,
sutileza para interpretar,
gracia y abundancia para hablar.

Dame, Señor,
acierto al empezar,
dirección al progresar
y perfección al acabar.

Santo Tomás de Aquino

El éxito comienza con la voluntad

Si piensas que estás vencido, lo estás;
si piensas que no te atreverás, no lo harás;
si piensas que te gustaría ganar, pero que no puedes,
es casi seguro que no lo lograrás.

Si piensas que vas a perder, ya has perdido,
porque en el mundo encontrarás
que el éxito empieza con la voluntad,
todo está en el estado mental.

Muchas carreras se han perdido
antes de haberse corrido,
y muchos cobardes han fracasado
antes de haber su trabajo empezado.

Piensa en grande y tus hechos crecerán,
piensa en pequeño y quedarás atrás,
piensa que puedes y podrás,
todo está en el estado mental.

Si piensas que estás aventajado, lo estás;
tienes que pensar bien para elevarte,
tienes que estar seguro de ti mismo,
antes de ganar un premio.

La batalla de la vida no siempre la gana
el hombre más fuerte o el más ligero,
porque tarde o temprano, el hombre que gana,
es aquel que cree poder hacerlo.

Napoleón Hill

Si tú te has hecho importante, observa que realmente no eres tan importante.

Anónimo

No hay bueno ni malo, sólo consecuencias.

Anónimo

Victoria para quienes perseveran

Iniciar una obra es cosa relativamente fácil, basta con avivar un poco la lumbre del entusiasmo.

Perseverar en ella hasta el éxito, es cosa diferente; eso ya es algo que requiere continuidad y esfuerzo.

Comenzar está al alcance de los demás, continuar, distingue a los hombres de carácter.

Por eso la médula de toda obra grande --desde el punto de vista de su realización práctica-- es la perseverancia, virtud que consiste en llevar las cosas hasta el final.

Es preciso, pues, ser perseverante, formarse un carácter no sólo intrépido, sino persistente, paciente, inquebrantable.

Sólo eso es un carácter.

El verdadero carácter no conoce más que un lema: la victoria.

Y sufre con valor, con serenidad y sin desaliento, la más grande de las pruebas: la derrota.

La lucha tonifica el espíritu, pero cuando falta carácter, la derrota lo reprime y desalienta.

Hemos nacido para luchar.

Las más grandes victorias corresponden siempre a quienes se preparan, a quienes luchan y a quienes perseveran.

Anónimo

La mayor parte de nuestra vida la dedicamos a demostrar algo; ya sea, a nosotros mismos o a otros.

Anónimo

Tú eres la causa de todo

Nunca te quejes de nadie ni de nada,
porque tú, y sólo tú,
eres la causa de todo lo que pasa...

Ni digas jamás que la situación está difícil,
lo estará para ti.
Hay miles de personas,
para las cuales no tiene nada de difícil...

No digas que el dinero está escaso.
Eso será en tu casa;
abunda en muchas partes,
y lo tienen los triunfadores, los optimistas...

   ¡NO TE ENGAÑES!

Tú eres la causa de todo lo que te acongoja,
de tu escasez, de tu mala situación;
de tus dificultades, de tus desdichas;
la causa de todo lo eres tú.

Aprende de los fuertes, de los activos,
de los audaces, de los valientes, de los enérgicos,
de los que no poseen pretextos,
de los que no conocen dificultades.

Aprende de los que triunfan;
se hombre cabal.
Deja de ser muñeco de hilacha;
levántate, anímate, apúrate, muévete, despabílate y

   ¡TRIUNFA!

Anónimo

Es muy agradable ser importante, pero es más importante ser agradable.

Anónimo

Si quieres tener éxito como dirigente

No te desanimes al encontrar obstáculos.

Si vas a desanimarte al primer indicio de oposición o adversidad, no llegarás muy lejos en el camino del éxito.

Presta poca atención a los que quieran obligarte a que te ocupes de sus caprichos y antojos.

Debemos tener fe en nuestros propios esfuerzos y en nuestro ánimo para perseverar en nuestras intenciones.

No te preocupes si eres un individuo con reducido o amplio talento; preocúpate por dar lo mejor que tengas, sin importar lo reducido o vasto que sea.

John Mackie

Hay personas en este mundo que son alegres, y parecen poseer más energía que el resto de nosotros.
Esto es porque no la desperdician en represión y auto-contemplación.
Sentirse miserable no es un pasatiempo, sino un trabajo de tiempo completo.

Érica Jong

Debo de ser fuerte sin ser rudo,
ser amable sin ser débil,
aprender con orgullo sin ser arrogante,
aprender a ser gentil sin ser suave.

Ser humilde sin ser tímido,
ser valeroso sin ser agresivo,
ser agradecido sin ser servil,
ser reflexivo sin ser flojo.

Anónimo

Las palabras más importantes para el ejecutivo

Las seis palabras más importantes:

> YO ADMITO QUE COMETÍ UN ERROR

Las cinco palabras más importantes:

> ME SIENTO ORGULLOSO DE USTED

Las cuatro palabras más importantes:

> ¿CUÁL ES SU OPINIÓN?

Las tres palabras más importantes:

> HÁGAME EL FAVOR

Las dos palabras más importantes:

> MUCHAS GRACIAS

La palabra más importante:

> NOSOTROS

La palabra menos importante:

> YO

... y recuerda:

> ANTES DEL HONOR ESTÁ LA HUMILDAD

Anónimo

Mientras culpes a otros, renuncias a tu poder para cambiar.

Anónimo

¡El trabajo es un privilegio!

Alégrate de contar con un trabajo que te brinda la oportunidad de:

Ofrecer lo mejor a tu familia,
realizarte como ser humano,
disfrutar de la vida,
ser mejor cada día,
perfeccionar tus habilidades,
aplicar tus conocimientos,
desarrollar tu potencial,
alcanzar las metas de tu empresa,
contribuir a la productividad,
hacer productos con calidad y
cooperar con el engrandecimiento de tu país.

Por ello, afirma con entusiasmo, cada día de tu vida:

¡El trabajo es un privilegio!

Roger Patrón Luján

Recuerda que cualquier cosa que valga la pena, lleva en sí el riesgo del fracaso.

Lee Iacocca

Algunas personas están deseosas de trabajar, siempre y cuando puedan empezar desde la gerencia en adelante.

Anónimo

Ser hombre es saber decir "me equivoqué" y proponerse no repetir el mismo error.

Anónimo

La verdadera riqueza está más allá de lo tangible.

Roger Patrón Luján

La verdadera riqueza

Si hubiera un banco que te acreditara en tu cuenta 86,400 monedas cada mañana, que no transfiriera el saldo disponible de un día al siguiente, no te permitiera conservar efectivo y, al final del día, cancelara la parte de esa cantidad que no hubieras usado,

¿Qué harías?

Por supuesto, sacar cada día hasta el último centavo y aprovechar todo el dinero.

Pues bien, tal banco existe: se llama TIEMPO.

Cada día te acredita 86,400 segundos y cada noche da por perdidos cuantos hayas dejado de emplear provechosamente.

Nunca transfiere saldos, ni permite que te sobregires.

Cuando no usas lo disponible ese día, el único que pierde eres tú.

No existe recuperación de fondos y tampoco es posible girar cheques sobre el mañana.

Depende de ti invertir este precioso caudal de horas, minutos y segundos para obtener los máximos dividendos en cuanto a salud, felicidad y éxito .

Anónimo

Yo necesito pocas cosas y las pocas cosas que necesito, las necesito poco.

San Francisco de Asís

El hombre más rico, no es el que conserva el primer peso que ganó, sino el que conserva al primer amigo que tuvo.

Anónimo

¿Dónde está tu tesoro?

¿Piensas mucho en el dinero? Pues ahí está tu tesoro.

¿Tus pensamientos están en el amor? Ahí está tu tesoro.

¿Te absorbe el trabajo? Ahí está tu principal valor.

¿Qué te ocupa? ¿Qué te preocupa?

¿Cuáles ideas están contigo casi siempre?

¿Qué es lo que más valoras?

Si tienes un signo de pesos, tus valores son materiales.

Si piensas en el poder, eres dominante.

Si tus pensamientos son nobles y altruistas,
si piensas y te ocupas en amar,
tu tesoro no se acabará ni con devaluaciones,
ni con crisis económicas,
porque LO ESPIRITUAL NO SE ACABA NUNCA.

Enriquécete con cosas imperecederas:
serás rico, fuerte y
tus riquezas estarán siempre contigo.

Helen Hernández

No es rico el que tiene mucho, sino el que da mucho.

Erich Fromm

Con demasiada frecuencia amamos las cosas y nos aprovechamos de las gentes, cuando deberíamos amar a las gentes y aprovecharnos de las cosas.

Anónimo

Pobreza

El otro día me encontré con un individuo de esos que abundan:

¡Un *pobre hombre rico*!

Es dueño de varias fincas, de bonos y de acciones de diversas compañías; tiene una jugosa cuenta corriente en el banco.

Pero es pobre. Lleva en su mente la esencia de la pobreza, porque siempre teme gastar unos centavos, sospecha de todo el mundo, se preocupa demasiado de lo que tiene y le parece poco.

La pobreza no es carencia de cosas: es un estado de ánimo. No son ricos los que tienen todo en abundancia. Sólo se es rico cuando el dinero no le preocupa a uno. Si tú tienes dos pesos y te lamentas de no tener más, eres más rico que el que tiene dos millones y no puede dormir porque no tiene cuatro.

Pobreza no es carencia; es la presión de la carencia. La pobreza está en la mente, no en el bolsillo.

El *pobre hombre rico* se angustia por la cuenta del almacén de comestibles que es muy alta, porque el hielo cuesta mucho, porque consume electricidad y gas. Siempre está buscando el modo de disminuir el salario de los sirvientes. Le duele que su mujer le pida dinero, se angustia por el gasto de sus hijos.

Las peticiones de aumento de sueldo de sus empleados lo enervan. En fin, tiene los síntomas e inconvenientes de la pobreza que sufre su jardinero, alguien que realmente no tiene dinero. Y aún más, ¿qué diferencia hay entre él y un pordiosero?

La única finalidad del dinero es proporcionar comodidad, alejar temores y permitir una vida de libertad espiritual. Si tú no disfrutas de esas ventajas, tengas cuanto tengas, eres un *pobre hombre rico*.

Pero si puedes experimentar esa sensación de libertad, esa confianza en el mañana, esa idea de abundancia que se dice proporciona el dinero, *SERÁS RICO AUNQUE SEAS POBRE.*

Piensa en esto: si quieres ser rico, sélo. Es más fácil que hacerse rico. ¡Inténtalo!

El dinero en sí no significa nada. Su verdadero valor reside en lo que con él podamos realizar en favor de los demás y de nosotros mismos. Ésta es, a nuestro juicio, la doble y auténtica finalidad del dinero.

Frank Crane

Cuenta lo que posees

No enumeres jamás en tu imaginación lo que te hace falta.

Cuenta, por el contrario, todo lo que posees; detállalo, si es preciso, hasta la nimiedad y verás que, en suma, la Vida ha sido espléndida contigo.

Las cosas bellas se adueñan tan suavemente de nosotros, y nosotros con tal blandura entramos en su paraíso, que casi no advertimos su presencia.

De allí que nunca les hagamos la justicia que se merecen.

La menor espina, en cambio, como araña, nos sacude la atención con un dolor y nos deja la firma de ese dolor en la cicatriz. De allí que seamos tan parciales al contar las espinas.

Pero la Vida es liberal en sumo grado; haz inventario estricto de tus dones y te convencerás.

Imaginemos, por ejemplo, que un hombre joven, inteligente, simpático a todos, tuviese una enfermedad crónica. No debería decir: "Tengo este mal o aquel", o "me duele siempre esto o aquello", o "no puedo gustar de este manjar o de aquel... ".

Debería decir: "Soy joven, mi cerebro es lúcido, me aman; poseo esto, aquello, lo de más allá; gozo con tales y cuales espectáculos, tengo una comprensión honda y deliciosa de la naturaleza...".

Vería entonces el enfermo aquel, que lo que le daña se diluiría como una gota de tinta en el mar.

Amado Nervo

Uno se hace ilusiones que luego se pierden;
las ilusiones están hechas para ser perdidas una a una.

¿Y si no tienes ilusiones?

Si no tienes ilusiones, invéntalas,
debes tratar de tener siempre muchas ilusiones,
para que te puedas dar el lujo de perder una cada día.

Pita Amor

Simplemente SER

Una mujer en agonía, de pronto tuvo la sensación de que era llevada al cielo y presentada ante el tribunal.

-¿Quién eres?-, dijo la voz.

-Soy la mujer del alcalde-, respondió ella.

-Te he preguntado quién eres, no con quién estás casada.

-Soy la madre de cuatro hijos.

-Te he preguntado quién eres, no cuántos hijos tienes.

-Soy una maestra de escuela.

-Te he preguntado quién eres, no cuál es tu profesión.

-Soy una cristiana.

-Te he preguntado quién eres, no cuál es tu religión.

-Soy una persona que iba todos los días a la iglesia y ayudaba a los pobres y necesitados.

-Te he preguntado quién eres, no lo que hacías.

Tu obligación es SER.

No un personaje ni ser un don nadie.

Sino simplemente SER.

Anónimo

La perfecta escucha consiste en oír, no tanto a los demás, cuanto a uno mismo.
La perfecta visión consiste en mirar, no tanto a los demás, cuanto a uno mismo.

Anónimo

Si creemos en el progreso de México, hagamos algo para lograrlo.

Roger Patrón Luján

Hay dos mares

Hay dos mares en Palestina.

Uno es fresco y lleno de peces, hermosas plantas adornan sus orillas;
los árboles extienden sus ramas sobre él,
y alargan sus sedientas raíces para beber sus saludables aguas;
en sus playas, los niños juegan.

El río Jordán hace éste mar con burbujeantes aguas de las colinas,
los hombres construyen sus casas en la cercanía,
y los pájaros sus nidos,
y toda clase de vida es feliz por estar allí.

El río Jordán continúa hacia el sur, hacia otro mar.

Aquí no hay trazos de vida, ni murmullos de hojas,
ni canto de pájaros, ni risas de niños.
Los viajeros escogen otras rutas; solamente por urgencia lo cruzan.
El aire es espeso sobre sus aguas,
y ningún hombre, ni bestias, ni aves la beben.

¿Qué hace esta diferencia entre mares vecinos?

No es el río Jordán.
El lleva la misma agua a los dos.
No es el suelo sobre el que están, ni el campo que los rodea.

La diferencia es ésta:

El mar de Galilea recibe al río, pero no lo retiene;
por cada gota que a él llega, otra sale.

El otro es un avaro... guarda su ingreso celosamente.
No tiene un generoso impulso; cada gota que llega, allí se queda.

El mar de Galilea da y vive.
El otro mar no da nada.
Le llaman el mar Muerto.

Hay dos mares en Palestina.
Hay dos clases de personas en el mundo.

Bruce Barton

El ciudadano del porvenir

El ciudadano del porvenir, aparte de corresponder a un tipo leal, honrado, limpio, enérgico y laborioso, será el que quiera a su patria entrañablemente, sin necesidad de engañarse: pero quererla, sobre los males y fracasos, no para exagerarlos con la ironía o el pesimismo, sino para corregirlos con el trabajo, con el sacrificio, con la verdad.

Un tipo de ciudadano veraz en todo; veraz con sus semejantes y veraz consigo mismo, fiel a su palabra; superior a las mezquindades del servilismo y la adulación; que no se cruce de brazos ante las dificultades, esperando que lo salven de ellas, tardíamente, un golpe de valor, un medro, una astucia vil.

Un ser que no abdique de su derecho por negligencia, pero que no lo ejerza vivamente y que, sobre todo, jamás olvide que la garantía interna de esos derechos radica en el cumplimiento de los deberes, y que cualquier derecho resultaría un privilegio específico y excepcional. Un ser que ame la vida y que la enaltezca.

En fin, un tipo de ciudadano capaz de juzgar las cosas y los hombres con independencia y rectitud.

Jaime Torres Bodet

No son las montañas que tenemos enfrente las que nos cansan; es el grano de arena que llevamos dentro el zapato.

Anónimo

Ser hombre

Ser hombre, no es nada más ser varón,
simple individuo del sexo masculino.

Ser hombre, es hacer las cosas,
no buscar razones para demostrar que no se pueden hacer.

Ser hombre, es levantarse cada vez que se cae o se fracasa,
en vez de explicar por qué se fracasó.

Ser hombre, es ser digno,
consciente de sus actos y responsabilidades.

Ser hombre, es saber lo que se tiene que hacer y hacerlo,
saber lo que se tiene que decir y decirlo,
es también saber decir que "no".

Ser hombre, es levantar los ojos de la tierra,
elevar el espíritu, soñar con algo grande.

Ser hombre, es ser persona,
es decir, alguien distinto y diferente a los demás.

Ser hombre, es ser creador de algo:
un hogar, un negocio, un puesto, un sistema de vida.

Ser hombre, es entender el trabajo no solamente como necesidad,
sino también como privilegio y don que dignifica y enorgullece.

Ser hombre, es tener vergüenza,
sentir vergüenza de burlarse de una mujer,
de abusar del débil, de mentir al ingenuo.

Ser hombre, es comprender la necesidad de adoptar una disciplina,
basada en principios sanos y sujetarse
por su propia y deliberada voluntad, a esa disciplina.

Ser hombre, es comprender que la vida no es algo que se nos da ya hecho,
sino que es la oportunidad para hacer algo bien hecho y de trascender.

Hombres de esta talla y de esta alcurnia,
los necesita nuestro país, los reclama el mundo y los exige Dios.

Anónimo

El hombre nuevo

Debe tener las siguientes cualidades:

Disposición a abandonar toda forma de tener para poder SER plenamente.

Sentir seguridad, tener sentimientos de identidad y confianza basados en la fe en lo que se ES, en la necesidad de relacionarse, interesarse, amar, solidarizarse con el mundo que nos rodea, en lugar de basarse en el deseo de tener, poseer, dominar al mundo y así ser esclavo de sus posesiones.

Aceptar el hecho que nadie ni nada exterior al individuo da significado a su vida, sino que esta independencia radical y no la ambición, pueden llegar a ser la condición de la actividad plena, dedicada a compartir e interesarse por los demás.

Estar plenamente presente donde uno se encuentra.

Sentir la alegría que causa dar y compartir, y no acumular y explotar.

Amar y respetar la Vida en todas sus manifestaciones, sabiendo que no es sagrada la cosa, ni el poder, ni lo que está muerto, sino la vida y todo lo que contribuye a su desarrollo.

Tratar de reducir tanto como uno pueda, la codicia, el odio y las ilusiones.

Vivir sin adorar ídolos y sin ilusiones, porque uno ha llegado al estado en que no necesita ilusiones.

Desarrollar la capacidad de amar, junto con el pensamiento crítico, no sentimental.

Desprenderse del narcicismo y aceptar las limitaciones trágicas inherentes a la existencia humana.

Hacer del pleno desarrollo de sí mismo y del prójimo la meta suprema de vivir.

Saber que para alcanzar esta meta, es necesaria la disciplina y respetar la realidad.

Saber, también, que ningún desarrollo es sano si no ocurre en una estructura, pero conocer también la diferencia entre la estructura como atributo de la vida, y el "orden" como atributo de no vivir, de la muerte.

Desarrollar la imaginación, no para escapar de las circunstancias intolerables, sino para anticipar las posibilidades reales, como medio para suprimir las circunstancias intolerables.

No engañar, pero tampoco dejarse engañar por otros; se puede admitir ser llamado inocente, pero no ingenuo.

Percibir la unión por la vida y por consiguiente, renunciar a la meta de conquistar a la naturaleza, someterla, explotarla, violarla, destruirla, y en vez de esto, tratar de comprender y cooperar con la naturaleza.

Gozar de una libertad no arbitraria, sino que ofrezca la posibilidad de ser uno mismo, y no un atado de ambiciones, sino una estructura delicadamente equilibrada que en todo momento se enfrenta a la alternativa de desarrollarse o decaer, vivir o morir.

Saber que el mal y la destrucción, son consecuencias necesarias de la imposibilidad de no desarrollarse.

Saber que sólo muy pocos han alcanzado la perfección en todas esas cualidades, pero SER, sin la ambición de alcanzar la meta reconociendo que esta ambición sólo es otra forma de codiciar, de tener.

Ser feliz en el proceso de vivir cada día más sin importar el avance que el destino nos permita realizar, porque vivir tan plenamente como se puede resulta tan satisfactorio que es difícil preocuparse por lo que se logra.

Erich Fromm

Actos probablemente útiles a la sociedad son los que ella retribuye y probablemente inútiles, los que ella no recompensa en forma alguna. Millones de años de experiencia lo decretaron así y contestan a muchos que se lamentan de la incomprensión o ingratitud.

Johann Wolfgang Goethe

Los mexicanos

Nosotros los mexicanos, tenemos sobradas razones para enorgullecernos de nuestra nacionalidad.

Somos un pueblo que tiene una historia y una cultura ancestrales.

México posee grandes tesoros artísticos de los cuales debemos estar orgullosos.

Tenemos también una tradición y una historia llena de valores humanos.

Actualmente se ha olvidado lo que fuimos, y no proyectamos tampoco lo que podemos ser.

Usando nuestra razón e inteligencia y aprovechando nuestros recursos intelectuales y humanos podemos llegar a ser una nación culta y consciente de su responsabilidad en el mundo.

Pero para lograrlo, todos los mexicanos tenemos el deber de educar a las personas que han tenido menos oportunidades, ya que la educación y la cultura son la salvación de nuestro pueblo, para poder lograr un desarrollo no únicamente económico, sino moral e intelectual.

Helen Hernández

Nada hay de bárbaro ni de salvaje en otras naciones; lo que ocurre es que cada cual llama barbarie a lo que es ajeno a su costumbre.

Montaigne

¡Es un privilegio!

Ser uno de los miles de colaboradores para hacer posible un cuento histórico,

> ¡ES UN PRIVILEGIO!

Ser uno de los miles de trabajadores ayudando a elevar el nivel de vida de los que nos rodean,

> ¡ES UNA OPORTUNIDAD!

Ser uno de los miles que ayudan a tener una vida más plena a otros,

> ¡ES UN RETO!

Aunque lo que hagamos parezca insignificante, nuestros esfuerzos se vuelven colectivos, como pequeños copos de nieve que transforman el triste y seco paisaje en una cosa bella.

Así como las gotas de agua o granos de arena hacen al poderoso océano y la apacible tierra, así nuestros esfuerzos --grandes, pequeños o fútiles-- ayudan o estorban el desarrollo del mundo.

Paul S. McElroy

Es más fácil organizar una conferencia sobre la contaminación del medio ambiente, que agacharnos a recoger una cáscara de plátano.

Anónimo

Cosechar

Si tus planes son de un año, siembra un grano.
Si son de diez años, siembra un árbol.
Si son de cien años, enseña al pueblo.

Cuando plantas una sola semilla, recoges una sola cosecha.
Cuando enseñes a la gente, recogerás cien cosechas.

Kuan Chung

¡Ojalá que cada persona se propusiera educar a un hombre!

De la independencia de los individuos, depende la grandeza de los pueblos.

José Martí

Un pueblo realiza un gran progreso cuando descubre que, lo que determina el rango de una nación en el mundo, es la suma de los esfuerzos personales de cada ciudadano y no el de los gobiernos.

Gustave Le Bon

La ignorancia mata a los pueblos, por ello es preciso matar la ignorancia.

José Martí

Diógenes

Estaba un día Diógenes, plantado en la esquina de una calle y riendo como loco.

--¿De qué te ríes?, le preguntó un transeúnte.

--¿Ves esa piedra que hay en medio de la calle? Desde que llegué aquí esta mañana, diez personas han tropezado con ella y han maldecido, pero ninguna de ellas se ha tomado la molestia de retirarla para que otros no se tropiecen.

Anthony de Mello

Todo lo que se ve como una victoria, no siempre significa ganar; y perder, no siempre significa estar derrotado.

Idries Shah

La voluntad de ser está en nosotros, así como la voluntad de ser mejores.
A los líderes nos corresponde facilitar a nuestra gente el logro de estas aspiraciones.

Axayacatl

En alcohol pueden conservarse muchas cosas, pero no la vida.

Anónimo

Agradezcamos al Creador la oportunidad de vivir.

Roger Patrón Luján

Oración

No me dirijo a los hombres.

Me dirijo a Ti, Dios de todos los seres, de todos los mundos, de todos los tiempos: si es permitido a débiles criaturas, perdidas en la inmensidad e imperceptibles para el resto del Universo atreverse a pedirte algo, a Ti, que todo lo has dado, a Ti, cuyos decretos son inmutables y eternos.

Mira con piedad los errores de nuestra naturaleza; que estos errores no sean calamidades; no nos has dado el corazón para aborrecernos y las manos para degollarnos.

Haz que nos ayudemos mutuamente a soportar el fardo de una vida penosa y fugaz. Que las pequeñas diferencias entre los trajes que cubren nuestros débiles cuerpos, entre nuestros insuficientes lenguajes, entre nuestros ridículos usos, entre nuestras imperfectas leyes, entre nuestras insensatas opiniones, entre nuestras condiciones tan desproporcionadas a nuestros ojos y tan iguales ante Ti --que todos esos matices, en fin, que distinguen a los átomos llamados hombres-- no sean señales de odio y persecución.

Que los que encienden cirios en pleno mediodía para celebrarte, soporten a los que se contentan con la luz de Tu sol. Que los que cubren su traje con tela blanca para decir que hay que amarte, no detesten a los que hacen lo mismo bajo una capa de lana negra. Que sea igual adorarte en jerga formada de antigua lengua que en una recién formada. Que aquellos cuyo traje está teñido de rojo o morado, así como los que dominan un montoncito de barro de este mundo y que poseen algunos redondeaditos fragmentos de metal, gocen sin orgullo de lo que llaman grandeza y riqueza y que los demás no los envidien.

Tú sabes que no hay en esas vanidades nada que envidiar, ni de que enorgullecerse...

¡Ojalá que todos los hombres recuerden que son hermanos!

¡Que abominen la tiranía ejercida sobre las almas que arrebata por la fuerza, el fruto del trabajo y la industria pacífica!

Si los azotes de la guerra son inevitables, no nos aborrezcamos. No nos destrocemos unos a otros en tiempos de paz y empleemos el instante de nuestra existencia en bendecir --en mil lenguas diversas, desde Siam hasta California-- Tu bondad que nos concedió este instante.

Voltaire

Dios

Es Aquél que con esperanza cierta, cultiva con optimismo la verdad.

Es Aquél que con fe sincera, siembra con positividad el camino.

Es Aquél que con amor franco, cosecha con entusiasmo la vida.

Es calor que despierta a los corazones dormidos.

Es luz que desvanece a su paso la obscuridad.

Es conciencia que conduce al bien.

Es amor que concibe a la realidad.

Es vida que reanima lo inerte.

Es razón que revela la verdad.

Es todo y todo en cada uno.

Stefano Tanasescu Morelli

En su autobiografía, Mahatma Gandhi cuenta cómo, durante sus tiempos de estudiante en Sudáfrica, le interesó profundamente la Biblia y en especial el Sermón de la Montaña.

Llegó a convencerse de que el Cristianismo era la respuesta al sistema de castas que durante siglos había padecido la India, y consideró muy seriamente la posibilidad de hacerse cristiano.

Un día quiso entrar en una iglesia para oír misa e instruirse, pero le detuvieron a la entrada y, con mucha suavidad, le dijeron que, si deseaba oír misa, sería bien recibido en una iglesia reservada a los negros.

Desistió de su idea y no volvió a intentarlo.

Anthony de Mello

Una vida solitaria

Nació en un pueblo casi desconocido, hijo de una mujer campesina.
Creció en otra aldea.
Trabajó en una carpintería hasta los treinta años, y entonces, durante tres años fue un predicador ambulante.

Jamás escribió un libro.
Nunca ocupó cargo alguno.
Jamás tuvo casa propia.
Jamás se alejó trescientos kilómetros de donde nació.
Nunca hizo cosas que identifican a los grandes hombres.
No tenía más credenciales que su propia persona.

Aunque caminó por muchas partes, curando a los enfermos, devolviendo la vista a los ciegos, sanando a los inválidos y resucitando a los muertos, los principales líderes religiosos se voltearon contra Él.

Sus amigos huyeron.
Lo entregaron a sus enemigos y soportó la burla de su juicio.
Fue escupido, flagelado y ridiculizado.
Fue clavado en una cruz entre dos ladrones.

Cuando Él moría, sus verdugos se jugaban la única pieza que poseía en la tierra y que era su capa.

Cuando se había muerto, fue colocado en un sepulcro prestado gracias a la merced de un amigo.

Diecinueve siglos han pasado desde entonces, mas hoy Él constituye la figura central de la raza humana y es el líder de la columna del progreso.

Todos los ejércitos que jamás hayan marchado, todas las flotas que han sido construidas, todos los parlamentos que jamás hayan sesionado, y todos los reyes que jamás hayan regido,

¡TODOS!

No han afectado la vida del hombre sobre esta Tierra como esa *Vida Solitaria*.

James A. Francis

El señor Vishnú

El señor Vishnú estaba tan harto de las continuas peticiones de su devoto, que un día se apareció ante él y le dijo:

- He decidido concederte las tres cosas que deseas pedirme. Después no volveré a concederte nada más.

Lleno de gozo, el devoto hizo su primera petición sin pensarlo dos veces. Pidió que se muriese su mujer para poderse casar con una mejor. Su petición fue inmediatamente atendida.

Pero cuando sus amigos y parientes se reunieron para el funeral y comenzaron a recordar las buenas cualidades de su difunta esposa, el devoto cayó en cuenta de que había sido un poco precipitado. Ahora reconocía que había sido absolutamente ciego a las virtudes de su mujer. ¿Acaso era más fácil encontrar otra mujer tan buena como ella?

De manera que pidió al Señor que la volviera a la vida. Con lo cual sólo le quedaba una petición que hacer. Estaba decidido a no cometer un nuevo error, porque esta vez no tendría posibilidad de enmendarlo.

Y se puso a pedir un consejo a los demás.

Algunos amigos le aconsejaron que pidiese la inmortalidad. Pero ¿de qué servía la inmortalidad -le dijeron otros- si no tenía salud? ¿y de qué servía la salud si no tenía dinero? ¿y de qué servía el dinero si no tenía amigos?

Pasaban los años y no podía determinar qué era lo que debía pedir: ¿Vida, salud, riquezas, poder, amor...?

Al fin, suplicó al Señor:

- Por favor, aconséjame lo que debo pedir.

El Señor se rió al ver los apuros del pobre hombre y le dijo:

- Pide ser capaz de contentarte con todo lo que la vida te ofrezca, sea lo que sea.

Anthony de Mello

No tengo tiempo

Me arrodillé para orar,
pero no por mucho tiempo,
tenía mucho que hacer.

Debería apurarme
e ir a trabajar por las obligaciones que tenía que cumplir.
El deber para con Dios había sido satisfecho.
Mi alma estaba en paz.

A través del día, no tuve tiempo para decir una palabra de aliento,
no tuve tiempo para hablar de ÉL a un amigo.

Temía mucho que se rieran de mí.

No tengo tiempo, no tengo tiempo,
hay mucho que hacer.

Esa era mi constante queja:
no tengo tiempo para dar a aquellos en necesidad.

Finalmente, llegó el tiempo de morir.

Cuando estuve frente al Señor,
me presenté con ojos entrecerrados.

En sus manos sostenía un libro,
era el LIBRO DE LA VIDA.

EL buscó en el Libro y dijo:
No puedo encontrar tu nombre.
Una vez lo iba a escribir,
¡pero nunca encontré el tiempo!

Anónimo

Si todas las personas malas fueran negras y todas las buenas, blancas, ¿De qué color serías tú?... porque yo tendría la piel a rayas.

Anthony de Mello

Si amas a Dios

Si amas a Dios,

en ninguna parte has de sentirte extranjero, porque Él estará en todas las regiones, en lo más dulce de todos los paisajes, en el límite indeciso de todos los horizontes.

Si amas a Dios,

en ninguna parte estarás triste, porque, a pesar de la diaria tragedia, Él llena de júbilo el Universo.

Si amas a Dios,

no tendrás miedo de nada ni de nadie, porque nada puedes perder y todas las fuerzas del cosmos serían impotentes para quitarte tu heredad.

Si amas a Dios,

ya tienes alta ocupación para todos los instantes, porque no habrá acto que no ejecutes en su nombre, ni el más humilde ni el más elevado.

Si amas a Dios,

ya no querrás investigar los enigmas, porque lo llevas en Él, que es la clave y resolución de todos.

Si amas a Dios,

ya no podrás establecer con angustia una diferencia entre la vida y la muerte, porque en Él estás y Él permanece incólume a través de todos los cambios.

Amado Nervo

El cielo no es un lugar, ni un tiempo. El cielo consiste en ser perfecto.

Richard Bach

Estoy siempre contigo

¿Me necesitas? Estoy allí contigo.

No puedes verme, sin embargo Yo soy la luz que te permite ver.
No puedes oírme, sin embargo Yo hablo a través de tu voz.
No puedes sentirme, pero Yo soy el poder que trabaja en tus manos.
Estoy trabajando, aunque desconozcas Mis senderos.
Estoy trabajando, aunque no reconozcas Mis obras.
No soy visión extraña. No soy misterio.

Sólo en el silencio absoluto, más allá del "yo" que aparentas ser, puedes conocerme,
y entonces sólo como un sentimiento y como Fe.
Sin embargo, estoy allí. Sin embargo, te oigo. Sin embargo, te contesto.
Cuando Me necesitas, estoy contigo.
Aun cuando Me niegas, estoy contigo.
Aun cuando te sientas más solo, Yo estoy contigo.
Aun en tus temores, estoy contigo.
Aun en tu dolor, estoy contigo.
Estoy contigo cuando oras y cuando no oras.
Estoy en ti y tú estás en Mí.

Sólo en tu mente puedes sentirte separado de Mí, pues sólo en tu mente están las
brumas de "lo tuyo" y "lo Mío".
Sin embargo, tan sólo con tu mente, puedes conocerme y sentirme.
Vacía tu corazón de temores ignorantes.
Cuando quitas el "yo" de en medio, estoy allí contigo.
De ti mismo no puedes hacer nada, pero Yo todo lo puedo.
Yo estoy en todo.

Aunque no puedas ver el bien, el bien está allí, pues Yo estoy allí.
Estoy allí porque tengo que estarlo, porque Yo Soy.
Sólo en Mí, tiene el mundo significado; sólo en Mí, toma el mundo forma; sólo en
Mí, el mundo sigue adelante.
Soy la Ley en la cual descansa el movimiento de las estrellas y el crecimiento de
toda célula viva.
Soy el Amor que es el cumplimiento de la ley. Soy seguridad. Soy paz. Soy
unificación. Soy la Ley por la cual vives. Soy el Amor en que puedes confiar. Soy tu
seguridad. Soy tu paz. Soy uno contigo. Yo Soy.

Aunque falles en encontrarme, Yo nunca dejo de encontrarte.
Aunque tu Fe en Mí es insegura, Mi Fe en ti nunca flaquea.
Porque te conozco, porque te amo...

Mi bien amado, estoy contigo.

James Dillet Freeman

Ganar perdiendo

Pedí a Dios fortaleza para poder triunfar;
fui hecho débil, para que aprenda humildemente a obedecer...

Pedí salud para poder hacer grandes cosas;
me fue dada flaqueza, para que pueda hacer mejores cosas...

Pedí riqueza para poder ser feliz;
se me dio pobreza, para que pueda ser sabio...

Pedí poder para ser el orgullo de los hombres;
se me dio debilidad, para que pueda sentir la necesidad de Dios...

Pedí todas las cosas para poder disfrutar la vida;
se me concedió vida, para que pueda disfrutar todas las cosas...

No se me dio nada de lo que pedí,
pero todo lo que deseaba y algo más incluso, a pesar de mí;
las oraciones que expresé fueron respondidas...

¡De entre todos los hombres, yo he recibido la mejor bendición!

Anónimo

Nadie fue ayer,
ni va hoy,
ni irá mañana
hacia Dios
por este mismo camino
que yo voy.

Para cada hombre guarda
un rayo nuevo de luz el sol...
y un camino virgen Dios.

León Felipe

Pisadas

Una noche tuve un sueño.
Soñé que caminaba con el Señor sobre la playa.
A través del firmamento se dibujaban escenas de mi vida.
En cada escena, noté que había dos pares
de pisadas en la arena,
un par pertenecía a mi
y el otro al Señor.
Cuando la última escena de mi vida relució ante mis ojos
miré hacia atrás para ver las pisadas en la arena.
Había solamente un juego de pisadas.
Noté que esto había sucedido durante la época más honda
y triste de mi vida.
Esto me molestó
y pregunté al Señor
acerca de mi dilema.
"Señor, tú me dijiste que una vez que hubiera yo decidido seguirte,
caminarías y hablarías conmigo toda la vida.
Pero he notado que durante las épocas más difíciles
de mi vida hay solamente un juego de pisadas.
No comprendo por qué, precisamente cuando más te necesitaba,
me has abandonado"
El Señor me dijo al oído, "Mi hijo amado,
yo te quiero mucho y nunca,
nunca, te abandonaría en los tiempos de prueba y de dolor.
Cuando tú viste solamente un par de pisadas
era entonces que yo te llevaba en mis brazos."

Margaret Fishback

*Creer en Dios nos dispensa de creer en cualquier otra cosa, lo cual supone una ventaja
inestimable.*

*Siempre he envidiado a quienes creían en Él, aunque creerse dios, me parece más fácil
que creer en Dios.*

Anónimo

¡Escucha Dios!

Yo nunca hablé contigo.
Hoy quiero saludarte:
¿Cómo estás?
¿Sabes? Me decían que no existes y yo, tonto, creí que era verdad.

Anoche vi tu cielo.
Me encontraba oculto en un hoyo de granada...
¡Quién iría a creer que para verte, bastaba con tenderse uno de espaldas!

No sé si aun querrás darme la mano; al menos, creo que me entiendes.

Es raro que no te haya encontrado antes, sino en un infierno como éste.

Pues bien... ya todo te lo he dicho.
Aunque la ofensiva pronto nos espera, Dios, no tengo miedo desde que descubrí que estabas cerca.

¡La señal!...

Tal vez llame a tu cielo.
Comprendo que no he sido amigo tuyo, pero...

¿Me esperarás si hasta Ti llego?

¡Cómo!... ¡mira Dios!... ¡estoy llorando!...
¡tarde te descubrí!... ¡cuanto lo siento!...

Dispensa... debo irme...

¡Qué raro, sin temor voy a la muerte!...

Encontrado en la guerrera de un soldado muerto en combate

Por amor de Dios, ¡salven sus vidas!

Gibrán Jalil Gibrán

¿Por qué, Señor?

¿Por qué Señor te pido trabajo y no tiempo de descanso?

¿Por qué te pido problemas y no soluciones para los que ya tengo?

¿Por qué me preocupo tanto de mis cosas y no delego responsabilidades a los que me rodean?

¿Por qué te pido un camino con obstáculos y no uno limpio y tranquilo?

¿Por qué te pido tiempos difíciles?

¿Por qué te ofrezco mi esfuerzo para demostraste que estoy agradecido y no sólo me acuerdo de Ti cuando estoy desesperado?

¿Por qué cargo responsabilidades grandes y no miro indiferente el paso de los días?

¿Por qué en mí es en quien se notan los errores y no se perdonan con la facilidad de otros?

¿Por qué tengo que ir abriendo brecha y no puedo utilizar caminos ya trazados?

Yo no puedo dar respuesta a todas mis dudas, pues sólo Tú las sabes.

Pero a pesar de ésta, y de muchas cosas, jamás voy a intentar salirme del camino que me tienes trazado, y que voy descubriendo día con día, así como tampoco voy a eludir uno solo de los problemas que me mandes.

Porque dentro de todas mis dudas, sé que este camino es el único que me llevará a convertirme en un HOMBRE.

Sé que es el camino más difícil, pero es también el que más vale la pena y el único que se puede voltear a ver con orgullo, cuando se está al final. Las únicas dos armas que tengo para tratar de cruzarlo, son la voluntad y la fe, la fe en Ti y en mí. Sé que si las manejo bien, podré llegar al final.

Veamos hasta dónde puedo llegar...

Carlos Sánchez Baz

Escrito un año antes de diagnosticársele cáncer que finalmente lo consumió a la edad de 20 años. Fue alumno brillante, amigo entrañable y un hijo fuera de serie.

Plegaria

Acéptame como soy,
en razón de justicia y no de piedad.

Libérame de la ignorancia,
y la dependencia por tu deber de cuidado.

Transfórmame en un ser útil,
porque no quiero vivir de limosnas.

Pon en mis labios la luz de una sonrisa,
y no la sonrisa triste del miedo.

Ayúdame para no ser una carga para mis padres,
logrando mi reintegración a la sociedad.

Reflexiona,
mi comienzo fue igual al tuyo.

Sabe que las ilusiones que acompañaron mi nacer,
fueron las mismas que soñaron tus padres.

Despierta con tu afecto mi fuerza,
contra la agresividad que avasalla.

Mírame,
soy humano como tú.

Escrito por un muchacho con parálisis cerebral

¡Oh! Dios, concédeme,

serenidad para aceptar lo que no puede ser cambiado,
valor para cambiar lo que puede ser cambiado, y
sabiduría para discernir lo uno de lo otro.

Reinhold Niebuhr

La Regla de Oro

Brahmanismo

Todos tus deberes se encierran en esto: no hagas a otros nada que te doliera si te lo hiciesen a ti.

Mahabharata

Budismo

No ofendas a los demás como no quisieras verte ofendido.

Udâna-varga

Confucianismo

¿Hay alguna máxima que deba uno seguir en la vida? Ciertamente, la máxima de la apacible benignidad: lo que no deseamos que nos hagan, no lo hagamos a los demás.

Analectas

Cristianismo

Haced vosotros con los demás hombres, todo lo que deseáis que hagan ellos con vosotros, porque ésta es la Ley y los Profetas.

Nuevo Testamento

Islamismo

Ninguno de vosotros será verdadero creyente, a menos que desee para su hermano, lo mismo que desea para sí mismo.

Sunnah

Judaísmo

Lo que no quieras para ti, no lo quieras para tu prójimo; esto es toda la ley; lo demás es comentario.

Talmud Shabbat

Taoísmo

Sean para ti como tuyas, las ganancias de tu prójimo, y como tuyas, sus pérdidas.

T'ai Shang Kan Ying Pien

Zoroastrismo

Es bueno lo que se abstiene de hacer a otros lo que no es bueno para uno.

Dadistan-i-dinik

Madurez es haber aprendido a compartir.

Roger Patrón Luján

La contabilidad personal

¿Le has echado un vistazo al estado de pérdidas y ganancias de tu vida?

Nuestra vida es el negocio más importante que debemos atender.

¿Estás operando con "números rojos"? ¿hay cuentas pendientes de pago? ¿has tenido ganancias y tu "capital" ha crecido?

Creo que hacer cuentas de cuando en cuando es saludable y necesario.

Reajustar, invertir nuestro tiempo, disfrutar las ganancias. Todo esto hay que tomarlo en cuenta.

Si tienes un "socio" o "socia", hagan su contabilidad juntos:

¿Cómo va esa sociedad?

¿Se reúnen para resolver problemas que afectan a ambos?

Si no lo has hecho, creo que sería una buena idea hacerlo.

Tu vida es un negocio. Revisa tus cuentas.

¡No vaya a ser que llegues al cierre en completa bancarrota!

Anónimo

¿Quién es un viejo?
Una persona 15 años mayor que tú.

Anónimo

Ser joven es tener ideales y luchar hasta lograrlos,
es soñar en el futuro por el que se trabaja en el presente,
es tener siempre:
algo que hacer,
algo que crear,
algo que dar.

Anónimo

La juventud

La juventud no es cuestión de tiempo, sino un estado de la mente;
no es un asunto de la voluntad, una cualidad de la imaginación,
un vigor de emociones;
es la frescura de los manantiales profundos de la vida.

La juventud significa el predominio del valor sobre la timidez,
de la aventura sobre lo fácil.

Esto existe a menudo en una persona de sesenta años,
más que en un joven de veinte.

Nadie se avejenta al desertar de sus ideales.
Los años pueden arrugar nuestra piel,
pero la falta de entusiasmo arruga nuestra alma.

La preocupación, la duda, la desconfianza,
el temor, la desesperación,
éstos doblan el corazón y convierten el espíritu en polvo.

Tengas tú sesenta años o dieciséis,
en todo corazón humano existe el amor a lo maravilloso,
el asombro por las estrellas del cielo,
el impávido desafío a los eventos,
el apetito infalible de la niñez por lo que viene;
después del goce de vivir.

Tú eres tan joven como tu fe,
tan viejo como tu duda,
tan joven como tu confianza en ti mismo,
tan viejo como tus temores,
tan joven como tu esperanza,
tan viejo como tu desesperación.

Douglas McArthur

Cuando naces, lloras, y los demás, sonríen.
Vive de tal manera que,
cuando mueras, sonrías, y los demás, te lloren.

Anónimo

Si pudiera vivir nuevamente mi vida

Me gustaría cometer más errores la próxima vez.

Me relajaría más, sería menos perfecta.

Sería más tonta de lo que he sido en este viaje. Tomaría muy pocas cosas en serio.

Tomaría más riesgos. Subiría más montañas y nadaría más ríos.

Comería más helados y menos frijoles. Quizá tendría más problemas reales y menos imaginarios.

Mira, yo soy una de esas personas que vive sensata y sanamente hora tras hora, día tras día. He tenido mis momentos y si lo tuviera que hacer nuevamente, tendría más de éstos. De hecho, trataría de tener solamente momentos.

Sólo momentos, uno tras otro, en vez de vivir pensando en los años venideros.

Yo he sido una de esas personas que nunca van a ningún lugar sin un termómetro, una botella de agua caliente, un impermeable y un paracaídas.

Si pudiera vivir otra vez, viajaría más ligero de lo que lo he hecho.

Si pudiera vivir nuevamente, comenzaría a andar descalza al principio de la primavera y seguiría así hasta finales del otoño.

Iría a más bailes. Subiría más al carrusel. Recogería más margaritas.

Nadine Stair

Vive como al momento de morir, quisieras haber vivido.

Confucio

En recuerdo mío

El día llegará en que un médico comprobará que mi cerebro ha dejado de funcionar y que mi vida en este mundo ha llegado a su término.

Cuando tal cosa ocurra, no intentes infundirle a mi cuerpo una vida artificial con ayuda de alguna máquina, y no digas que me hallo en mi lecho de muerte. Estaré en mi lecho de vida y ve que este cuerpo sea retirado para contribuir a que otros seres humanos hagan mejor vida.

Da mis ojos al infeliz que jamás haya contemplado el amanecer, que no haya visto el rostro de un niño o la luz del amor en los ojos de una mujer.

Da mi corazón a alguna persona a quien el propio, sólo le haya valido interminables días de sufrimiento.

Mi sangre dala al adolescente rescatado de su automóvil en ruinas, a fin de que pueda vivir hasta ver a sus nietos retozando a su lado.

Da mis riñones al enfermo que debe recurrir a una máquina para vivir de una semana a otra.

Para que un niño lisiado pueda andar, toma la totalidad de mis huesos, todos mis músculos, las fibras y los nervios de mi cuerpo.

Hurga en todos los rincones de mi cerebro. Si es necesario toma mis células y has que se desarrollen, de modo que algún día un chico sin habla, logre gritar con entusiasmo al ver caer un gol, y una muchachita sorda pueda oír el repiquetear de la lluvia en los cristales de la ventana.

Lo que quede de mi cuerpo, entrégalo al fuego y lanza las cenizas al viento para contribuir al crecimiento de las flores.

Si algo has de enterrar, que sean mis errores, mis flaquezas y todo mis prejuicios contra mi prójimo.

Si acaso quieres recordarme, hazlo con una buena obra y diciendo alguna palabra bondadosa a quien tenga necesidad de ustedes.

Si haces todo lo que pido, viviré eternamente.

Robert N. Test

A los ochenta y cinco años

Una anciana de ochenta y cinco años estaba siendo entrevistada con motivo de su cumpleaños.

La periodista le preguntó qué consejo daría a las personas de su edad.

- Bueno, -dijo la anciana,- a nuestra edad, es muy importante no dejar de usar todo nuestro potencial; de lo contrario, éste se marchita. Es muy importante estar con la gente y, siempre que sea posible, ganarse la vida prestando un servicio. Eso es lo que nos mantiene con vida y salud.

- ¿Puedo preguntarle qué es lo que hace para ganarse la vida a su edad?

- Cuido de una anciana que vive en mi barrio -, fue su inesperada y deliciosa respuesta.

Anthony de Mello

Sólo me faltan 6 meses y 28 días para jubilarme.

Debe hacer por lo menos 5 años que llevo este cómputo diario de mi saldo de trabajo.

Verdaderamente, ¿preciso tanto el ocio?

Yo digo que no, que no es el ocio lo que preciso, sino el derecho a trabajar en aquello que me gusta.

Mario Benedetti

El niño nace con una necesidad de ser amado, que no se extingue con la edad.

Anónimo

Madurez

Madurez es la habilidad de controlar la ira y resolver las discrepancias sin violencia o destrucción.

Madurez es paciencia; es la voluntad de posponer el placer inmediato en favor de un beneficio de largo plazo.

Madurez es perseverancia; es la habilidad de sacar un proyecto o una situación adelante, a pesar de fuerte oposición y retrocesos decepcionantes.

Madurez es la capacidad de encarar disgustos y frustraciones, incomodidades y derrotas, sin queja ni abatimiento.

Madurez es humildad; es ser suficientemente grande para decir me equivoqué; y cuando se está en lo correcto, la persona madura, no necesita experimentar la satisfacción de decir: "Te lo dije".

Madurez es la capacidad de tomar una decisión y sostenerla; los inmaturos pasan sus vidas explorando posibilidades, para al fin no hacer nada.

Madurez significa confiabilidad; mantener la propia palabra, superar la crisis; los inmaturos son maestros de la excusa, son los confusos y desorganizados, sus vidas son una mezcla de promesas rotas, amigos perdidos, negocios sin terminar, y buenas intenciones que nunca se convierten en realidad.

Madurez es el arte de vivir en paz con lo que es imposible cambiar.

Ann Landers

A medida que perdemos la memoria, los elogios que nos han prodigado se borran, contrariamente a los reproches.
Y ello es justo.
Los primeros raramente se merecen, mientras que los segundos, nos revelan aspectos de nosotros mismos, que ignorábamos.

Anónimo

La belleza física es pasajera.
La de la inteligencia y la del carácter, por el contrario, adquieren siempre nuevos atractivos en el curso de los años.

Anónimo

En paz

Muy cerca de mi ocaso,
yo te bendigo, Vida,
porque nunca me diste ni esperanza fallida,
ni trabajos injustos, ni pena inmerecida.

Porque veo al final de mi rudo camino,
que yo fui el arquitecto de mi propio destino;

Que si extraje las mieles o la hiel de las cosas,
fue porque en ellas puse hiel o mieles sabrosas:
cuando planté rosales, coseché siempre rosas.

... Cierto, a mis lozanías va a seguir el invierno:
¡mas tú no me dijiste que mayo fuese eterno!

Hallé sin duda largas las noches de mis penas;
mas no me prometiste Tú sólo noches buenas,
y, en cambio, tuve algunas santamente serenas...

Amé, fui amado, el sol acarició mi faz.

¡Vida, nada me debes!
¡Vida, estamos en paz!

                                                                Amado Nervo

Yo moriré, pero mi obra quedará.

                                                                Horacio

ÍNDICE POR AUTORES

En esta antología, (crestomatía), se han utilizado breves fragmentos de las siguientes obras:

Alas cortadas y	
El profeta	Gibrán Jalil Gibrán.
El Quijote de la mancha	Miguel de Cervantes Saavedra.
Plenitud	Amado Nervo.
El pequeño gran hombre	Emilio Rojas.
El manantial,	
¿Quién puede hacer que amanezca?,	
La oración de la rana y	
El canto del pájaro	Anthony de Mello.
En vida hermano	Anamaría Rabatté.
Desiderata	Max Ehrmann.
Una mujer	Rafael Martín del Campo.
Poemas	Alfonsina Storni.
The treasure chest	Charles L. Wallis.
All I really need to know	
I learned in kindergarten	Robert A. Fulghum.
Hamlet	William Shakespeare.
Hombre y superhombre	George Bernard Shaw.
5 minutos contigo	Helen Hernández.
El arte de amar y	
Ser o no ser	Erich Fromm.
Dictionnaire philosophique	Voltaire.
I'm with you always	Douglas Bloch.
Chop wood, carry water	Rick Fields.
Juan Salvador Gaviota	Richard Bach.
Ballata delle barache e altre poesie	Franco Buffoni.
Riches for the mind and spirit	John Marks Templeton.
2000 pensamientos de grandes filósofos	Martín Alvarado Rivera.
Tao Te Ching	Gia-fu Feng y Jane English.
The Tao of leadership	John Heider.
Footprints	Margaret Fishback.

UN REGALO EXCEPCIONAL (versión de lujo) décima octava edición, quedó totalmente impreso y encuadernado el 15 de octubre de 1996. La labor se realizó en los talleres del Centro Cultural de EDAMEX, Heriberto Frías 1104, Col. del Valle, México, D.F., 03100.

CALIDAD TOTAL